Königs Erläuterungen und Materialien
Band 235

W9-CCP-100

Erläuterungen
zu Georg Büchners
Dantons Tod
Woyzeck

Von Dr. Karl Brinkmann †
neu bearbeitet von Friedhelm Kicherer

11. Auflage

C. Bange Verlag - Hollfeld/Ofr.

81E

5.80₩

Herausgegeben von Dr. Peter Beyersdorf,
Gerd Eversberg und Reiner Poppe

ISBN 3-8044-0224-0
© 1979 by C. Bange Verlag, 8601 Hollfeld
Alle Rechte vorbehalten.
Druck: Lorenz Ellwanger, 8580 Bayreuth, Maxstr. 58/60

INHALTSÜBERSICHT

GEORG BÜCHNER

Leben und Werk:
Tabellarischer Überblick über Lebenslauf und Werk

12. Oktober 1813:	geboren als 1. Kind des Arztes und Amtschirurgen Dr. med. Ernst Büchner und dessen Ehefrau Louise Caroline, geb. Reuß, in Goddelau bei Darmstadt.
1816:	Umzug nach Darmstadt, wo der Vater eine höhere und besser dotierte Stellung erhält. Georg bleibt dort während seiner ganzen Kindheit.
bis 1823:	Unterricht durch die Mutter, die aus einer alten Beamtenfamilie stammt, dem deutschen Patriotismus Sympathie entgegenbringt, Körners Dichtung verehrt und einer Monarchie geistig nahesteht.
1823—1831:	Besuch des Darmstädter Gymnasiums, Abgang von dort ohne das zum Studium obligate Abitur. Interessen: die am Rande des Schulbetriebs angesiedelten Naturwissenschaften. Abneigung: die im Lehrplan dominierenden alten Sprachen. Daraus resultiert auch eine Abneigung gegen die Antike, deren geistigen Inhalte oft als leer und phrasenhaft empfunden und bezeichnet werden (vergl. Büchners Schulaufsätze und Reden). Die Lehrer bescheinigen Büchner großen Fleiß.
9. November 1831:	Immatrikulation und Beginn der Studien an der Universität Straßburg (Medizinische Fakultät; Zielperspektive: Anatomie und Zoologie; der Vater besteht aber auch auf einer humanmedizinischen Ausbildung). Entstehen und Pflege eines Freundeskreises um die Gebrüder August und Adolf Stöber. Beginn der politischen Denkungsart. Eine frühere Prämisse lautet: Die Frage der deutschen

	Freiheit ist eine Machtfrage. Die vordringlichste Aufgabe ist die Lösung „der großen Magenfrage". Hier lernt er auch seine spätere Braut Minna Jaeglé (Pfarrerstochter) kennen.
1833:	Nach zweijährigem Studium in Straßburg Rückkehr nach Hessen. Das Großherzogtum erlaubt seinen Untertanen nur ein Auslandsstudium von vier Semestern. Nach den Sommerferien Weiterstudium an der Universität Gießen.
31. Oktober 1833:	Immatrikulation.
Anfang Dezember 1833:	Erkrankung an Gehirnhautentzündung, Rückkehr nach Darmstadt, wo er in der Familie vorwiegend von der Mutter gesundgepflegt wird.
Jahreswechsel 1833/34:	Erstmalige Verbindung zu revolutionär gesinnten Studenten und Handwerkern. Begegnung mit dem Theologen und Butzbacher Schulrektor Friedrich Ludwig Weidig.
März 1834:	Gründung der „Gesellschaft für Menschenrechte". Ziel: Schaffung und Gründung von Ortsgruppen zur Herstellung und Aufrechterhaltung eines revolutionären Bewußtseins. Als ihm nahestehendsten Weggefährten können Gustav Clemm, Karl Minnigerode und August Becker genannt werden. Letzterer wurde wegen seines roten Bartes auch „der rote Becker" genannt. Dazu diente die
Ende Juli 1834:	erschienene Flugschrift „Der hessische Landbote". Verfasser: Georg Büchner, überarbeitet und abgeschwächt, mit christlichen Motiven überzogen: Friedrich Ludwig Weidig. Untertitel der Flugschrift eine Losung der französischen Revolution „Friede den Hütten, Krieg den Palästen". Druckort: Offenbach bei Frankfurt/Main.
1. August 1834:	Verhaftung des Büchnerfreundes Minnigerode am Tor zu Gießen. Verhör durch Universitätsrichter Georgi. Hausdurchsuchung bei Georg Büchner, erfolglos. Jedoch die Gefahr der Verhaftung Büchners wächst.

Jahreswende 1834/35:	Beginn der Arbeit an „Dantos Tod" im Laboratorium des Vaters.
2.—5. Februar 1835:	Überarbeitung und Abschluß des Dramas „Dantons Tod" in nur 3 Tagen (die bis teilweise unleserliche Schrift, die im Gefolge zu mancherlei Fehldeutungen führte, manifestiert dies deutlich).
24. Februar 1835:	Aufsetzen des Begleitschreibens und Abschickung des Manuskriptes an den jungdeutschen Schriftsteller Karl Gutzkow, der gute Beziehungen zu dem Verleger J. D. Sauerländer pflegt.
27. Februar 1835:	Die Ereignisse überschlagen sich: Vorladung auf das Arresthaus in Darmstadt. Dort wird er von seinem Bruder Wilhelm „vertreten", in der Hoffnung, er werde nicht als Bruder erkannt und für Georg gehalten. Dieses Vorhaben scheitert, weil der Richter ein Patient des Vaters ist. Wilhelm gibt als Grund seiner Vertretung an, sein Bruder sei erkrankt. Der Richter gibt zwei Tage Aufschub: „Wenn dein Bruder krank ist, so wollen wir ihm zwei Tage gönnen, dann aber muß er ins Arresthaus."
1. März 1835:	Flucht ins Exil nach Straßburg (2. Straßburger Zeit).
9. März 1835:	Überschreiten der französischen Grenze bei Weißenburg.
9. März 1835 bis 17. Oktober 1836:	Schöpferisch die wichtigste Zeit. Es entstehen wissenschaftliche und dichterische Arbeiten nebeneinander, dazu kommen Übersetzungen: eine Untersuchung über das Nervensystem der Barben (Fische), zwei Vorlesungen zur Philosophiegeschichte, um die venia legendi der Universität Zürich zu erringen, zwei Übersetzungen für den Verleger Sauerländer: Victor Hugos „Maria Tudor" und „Lukretia Borgia", die Arbeit an der Novelle „Lenz"; sie bleibt Fragment, weil Gutkows „Deutsche Revue", für die sie bestimmt war, noch vor ihrem Erscheinen verboten wird.

	Anläßlich eines Preisausschreibens entsteht „Leonce und Lena", wird aber nicht berücksichtigt, da das Manuskript zu spät eingesandt wird.
	Wahrscheinlich Beginn der Arbeit am „Woyzeck", der Fragment bleibt, vielleicht auch an einem verlorengegangenen Drama „Pietro Aretino".
18. Oktober 1836:	Reise nach Zürich. Grund: Die Universität hatte die Schrift „Über das Nervensystem der Barben" als Promotions- und Habilitationsschrift angenommen. Die Probevorlesung über „Die Schädelnerven" ist erfolgreich.
Januar 1837:	Ankündigung der Veröffentlichung zweier Dramen, wahrscheinlich „Woyzeck" und „Pietro Aretino".
Anfang Februar 1837:	Erkrankung an einem „hitzigen Fieber".
19. Februar:	stirbt Büchner im Alter von 23 Jahren in Zürich. Er ist auf dem Zürichberg beigesetzt. Auf seinem Grabstein stehen die Verse von Georg Herwegh:
	„Ein unvollendet Lied, sinkt er ins Grab, Der Verse schönsten nimmt er mit hinab."

ENTSTEHUNG UND AUFNAHME VON „DANTONS TOD"

Ende 1834 hatten die Eltern, die wegen der Gießener Vorgänge beunruhigt waren, Georg Büchner nach Darmstadt zurückgerufen. Das Netz um ihn zog sich immer enger, seitdem die geheime Druckerei in Offenbach, die den „Hessischen Landboten" hergestellt hatte, entdeckt worden war. Die letzten Monate im Elternhause wurden für ihn zu einer Zeit der Bedrängnis, der inneren Kämpfe und der äußeren Bedrohung. Der Vater ahnte immer noch nicht, daß er der Verfasser der Flugschrift war, aber er war sicher, daß Georg irgendwie an hochverräterischen Bestrebungen teilgenommen hatte. So begegnete er ihm mit Mißtrauen und Strenge. Nur dem vermittelnden Einfluß der Mutter war es zu verdanken, daß ein völliger Bruch vermieden wurde. Trotz der trostlosen Umstände aber war Georg Büchner unermüdlich tätig. „Vom Morgengrauen bis Mitternacht" betrieb er eifrig Studien der vergleichenden Anatomie in dem kleinen Laboratorium, das sich der Vater eingerichtet hatte. Vor allem aber beschäftigte er sich mit philosophischen Studien, machte sich mit den Systemen Spinozas und Descartes' vertraut, las viel moderne englische Literatur, insbesondere Byron, und vertiefte sich in die ihm zugänglichen großen Werke über die französische Revolution. Die umfangreiche Darmstädter Bibliothek lieferte ihm dafür außer den großen Geschichtswerken den „Moniteur", die Briefe Mirabeaus an seine Wähler, Memoiren einiger Revolutionäre und manches andere. Aber in den Nächten setzte Büchner auch die gefährliche politische Arbeit unter den Revolutionären Darmstadts heimlich fort.

Unter diesen schwierigen Verhältnissen, die durch eine Vorladung vor das Kriminalgericht in Offenbach, das ihn aber nur als Zeuge vernahm, noch beunruhigender wurden, begann er um die Wende 1834/35 die Arbeit an „Dantons Tod". In fieberhafter Hast, in einem einzigen Schaffensrausch, schrieb er sein Drama, hielt es aber vor den Eltern geheim. Er arbeitete am Seziertisch im Laboratorium des Vaters. Sein jüngerer Bruder Wilhelm hielt Wache und meldete die Heimkehr des Vaters oder eine Störung. Auf dem Tische lagen anatomische Tafeln, mit denen er das Manuskript bedecken konnte, wenn jemand eintrat. Die Zeit drängte. „Für Danton sind die Darmstädter Polizeidiener meine Musen gewesen", schrieb er an Gutzkow. Seinem Bruder Wilhelm erklärte er die Hast, mit der er arbeitete, aus dem Zwang, möglichst schnell Geld zu verdienen, um bei steigender Gefahr Mittel zur Flucht zu haben. Das war eine vergebliche Hoffnung. Am 19. Februar 1835 erfuhr Büchner, daß wieder, wie seit dem 2. Februar öfters, Gesinnungsfreunde verhaftet worden waren. Als er einen Freund aufsuchte, um Näheres zu erfahren, beobachtete er, daß ihm auf Schritt und Tritt ein Polizist folgte. An den nächsten drei Tagen schloß er das Werk ab, feilte es durch und schrieb es ins reine. Er hatte sich entschlossen, es an den jungdeutschen Schriftsteller Karl Gutzkow zu schicken, der ihm durch seine gewagten Kritiken im „Frankfurter Telegraph" aufgefallen war. Er wußte auch, daß Gutzkow gute Beziehungen zu dem wagemutigen und ernsthaft nach neuen Talenten suchenden Verleger J. D. Sauerländer hatte. Am 24. Februar schrieb er das Begleitschreiben an Gutzkow, noch am gleichen Tage mußte der Bruder Wilhelm das Paket mit dem Manuskript zur Post tragen. Dieses Begleitschreiben ist merkwürdig genug, ein anderer hätte es wohl zur Seite gelegt. Aber Gutzkow spürte dahinter die gehetzte Seele des fieberhaft erregten jungen Genies, das aus äußerster Not zu diesem trotzig verzweifelten Hilferuf getrieben wurde. Er nahm sich des Manuskriptes an, aber für Büchner war es schon zu spät. Am 27. Februar erhielt er eine Vorladung auf das Darmstädter Arresthaus. Das war die übliche Form der Verhaftung. Wilhelm erwies sich erneut als Helfer und ging an seiner Stelle hin in der Hoffnung, daß der fremde Beamte, der die Vorladung unterschrieben hatte, ihn nicht erkennen würde. Zufällig jedoch wurde er vor einen Richter geführt, der die Brüder genau kannte, weil der Vater sein Hausarzt war. Als Wilhelm erklärte, Georg sei krank, sagte ihm der trotz der Beamteneigenschaft deutsch gesinnte Mann mit Betonung: „Wenn Iein Bruder krank ist, so wollen wir ihm zwei Tage gönnen, dann aber muß er ins Arresthaus." Damit war eine letzte Frist gestellt. Wahrscheinlich in der Frühe des 1. März hat Georg Büchner Darmstadt verlassen, um nach Straßburg zu fliehen. Am 9. März hat er die französische Grenze bei Weißenburg überschritten.

Unterdessen hatte Gutzkow sich um sein Werk bemüht. Er selbst berichtet darüber im „Frankfurter Telegraph" Nr. 42 vom Juni 1837: „In den letzten Tagen des Februar 1835, dieses für die Geschichte unserer neueren schönen Literatur so stürmischen Jahres, war es, als ich einen Kreis von älteren und jüngeren Kunstgenossen und Wahrheitsfreunden bei mir sah. Wir wollten einen Autor feiern, der bei seiner Durchreise durch Frankfurt a. M. nach Literatenart das Handwerk begrüßte. Kurz vor Versammlung der Erwarteten erhielt ich aus Darmstadt ein Manuskript nebst einem Brief, dessen wunderlicher und ängstlicher Inhalt mich reizte, in ersterem zu blättern. Es war ein Drama: ‚Dantons Tod'. Man sah es der Produktion an, mit welcher Eile sie hingeworfen war. Es war ein zufällig ergriffener Stoff, dessen künstlerische Durchführung der Dichter abgehetzt hatte. Die Szenen, die Worte folgten sich rapid und ungestüm. Es war die ängstliche

Sprache eines Verfolgten, der schnell noch etwas abzumachen und dann sein Heil in der Flucht zu suchen hatte. Aber diese Hast hinderte den Genius nicht, seine außerordentliche Begabung in kurzen, scharfen Umrissen schnell im Flug an die Wand zu schreiben. Die ersten Szenen, die ich gelesen, sicherten ihm die gefällige, freundliche Teilnahme des Buchhändlers Sauerländer noch an jenem Abend selbst. Die Vorlesung einer Auswahl von Szenen, obschon von diesem oder jenem mit der Bemerkung dies oder das stünde im Thiers, unterbrochen, erregte Bewunderung vor dem Talent des jugendlichen Verfassers."

Eine Fülle unwahrscheinlicher Zufälle kam also zusammen, um Büchners Hoffnung in etwa zu erfüllen. Gutzkow vermittelte einen Vertrag mit Sauerländer. Für 100 Gulden Honorar sicherte sich dieser das Recht, einzelne Szenen in der Zeitschrift „Phönix" abzudrucken und später eine Buchausgabe zu veranstalten. Das Geld schickte Gutzkow nach Darmstadt, der Vater schickte es dem Sohne ohne irgendein Wort des Grußes nach Straßburg. Die Veröffentlichung ging für damalige Verhältnisse rasch vor sich. Im „Phönix" vom Juni 1835 erschienen einige Szenen, die Buchausgabe folgte im Juli. Aber es war nicht der reine Text Büchners. Gutzkow, der auch den Untertitel: „Dramatische Bilder aus Frankreichs Schreckensherrschaft" hinzufügte, hatte das Werk sehr gründlich überarbeitet. Er hatte vieles gestrichen und alles geändert, was ihm moralisch oder politisch bedenklich schien. Die Urfassung wäre damals freilich nicht von den Zensurbehörden genehmigt worden. Doch Sauerländer, obwohl er zu den wagemutigsten deutschen Verlegern gehörte, hatte immer noch Bedenken gehabt. Er übergab das Drama dem in Frankfurt lebenden österreichischen Schriftsteller Eduard Duller, der nicht nur weitere Striche, sondern auch eigene Ergänzungen anbrachte. So wurde der Erstdruck eine „Ruine der Verwüstung", wie Gutzkow sagte, „ein notdürftiger Rest des Werkes". Aber durch Gutzkows Kritik im „Frankfurter Telegraph" wurde es in die literarische Welt eingeführt, der Name des Dichters wurde beachtet.

Wenn Büchner durch diese Veröffentlichung bekannt geworden war, so findet das Drama im ganzen gesehen doch wenig Beifall unter den Zeitgenossen. Man fand es selbst in der Bearbeitung unmoralisch und zu wenig patriotisch. Die Bühnen ließen es unbeachtet, weil der an die Stürmer und Dränger erinnernde, von Shakespeare ausgehende dramaturgische Aufbau des Werkes unter den damaligen Bühnenverhältnissen eine Aufführung unmög-

lich erscheinen ließ. Man sprach von einem Lesedrama. Die Jungdeutschen mochten gehofft haben, in ihm einen Mitkämpfer gefunden zu haben. Aber da sie überzeugt blieben, daß die Macht
der Idee der Gewalt der Bajonette auf die Dauer überlegen sein
würde, standen sie der Wiedergabe der schlichten Wirklichkeit in
diesem Werke doch ziemlich hilflos gegenüber. Sie ebneten ihm
zwar den Weg in die Öffentlichkeit, konnten aber den Angriffen,
die von reaktionärer und moralisierender Seite gegen das Drama
erhoben wurden, nichts entgegensetzen. Der frühe Tod des Dichters ließ sein Werk als „unvollendet Lied" erscheinen, er war
eine Hoffnung, die sich nicht mehr erfüllen konnte. Auch die
erste Veröffentlichung des ursprünglichen Textes in den von dem
Bruder Ludwig bearbeiteten „Gesammelten Werken" von 1850,
die allerdings den „Woyzeck" nicht brachten, änderte nichts an
dieser Bewertung, sie trug eher dazu bei, die moralischen Bedenken zu verstärken. Wenige nur ahnten Büchners wahre Größe.
Hebbel bewunderte „Dantons Tod", er glaubte in ihm vieles
verwirklicht, was Grabbe gewollt hatte. Er ahnt Büchners bedeut-
same Stellung zwischen den Zeiten, zwischen den großen geschichtlichen Epochen. Aber das Werk Büchners bleibt doch Angelegenheit einiger Philologen. Dabei kommt „Dantons Tod"
nicht immer gut weg, das Werk wird oft vom Moralismus oder
vom nationalistischen Patriotismus her kritisiert. Man findet in
ihm zu viel von der Weltschmerzgebärde des frühen 19. Jahrhunderts, ohne seinen wahren Gehalt zu erfassen. Einer Zeit, in der
Frieden geschlossen ist zwischen dem alten revolutionären Liberalismus und den Mächten der Restauration, dem mehr oder weniger mystisch gedeuteten Ideal des Kaiser- und Fürstentumes,
ist es allerdings schwer geworden, dieses so ganz andersartige
Werk einzuordnen. 1879 besorgt der Schriftsteller Karl Emil Franzos (1848—1904) eine erste kritische Ausgabe, die freilich nach
neuerer Erkenntnis noch recht mangelhaft war. Er brachte erst-
malig auch den „Woyzeck". Aber noch immer bleibt Büchners
Werk Angelegenheit der Fachwissenschaft, die Zeit und Büchner
sind einander fremd geworden. Man reiht ihn je nach Neigung
unter die Realisten oder Neuromantiker ein und sieht im übrigen
nur „einen Unvollendeten" in ihm, dessen früher Tod eine vielleicht hoffnungsvolle Laufbahn abgebrochen hatte.

Erst seit dem Aufkommen des Naturalismus bahnt sich eine andere Beurteilung an. Mit Ibsen und dem frühen Gerhart Hauptmann gewöhnt man sich an eine Kunst, die statisch geworden,

deren Ziel die Beschreibung ist. Man überträgt epische und lyrische Elemente auf die Bühne und entdeckt sie auch in »Dantons Tod". Nicht mehr die Handlung ist das entscheidende, sondern das Milieu, die Atmosphäre. Man bringt Gesellschaftsklassen und soziale Zustände auf die Bühne, man übt Sozialkritik, indem man die traurigen Zustände scheinbar rein sachlich vorführt. Alles das aber fand man bei dem ,,Vorläufer" Büchner, das Interesse wächst. Hinzu kommt ein jahrelanger Streit in der sozialdemokratischen Presse, ob Büchner als Vorläufer von Karl Marx oder überhaupt als Sozialist anzusehen sei, ein an sich müßiger Streit, der an der Frage ganz vorbeigeht. Er isoliert Büchners politische Tätigkeit, während sein Werk nur als Ganzes aus dichterischer Intuition und großem Gestaltungswillen zu verstehen ist. Als Dichter sucht Büchner den Menschen. Aus dem Mitleid mit seiner Not erwächst sein Werk. Büchner besitzt noch kein Theorem der politischen Begrifflichkeit, hat keine eigentliche Theorie. Seine Vorstellungen sind noch ungesicherte utopische politische Gedankengänge. Karl Marx greift Jahre später Gedanken Büchners auf, stellt zumindest ähnliche, frappierend ähnliche Gedanken an und macht sie begrifflich und damit theoretischer Interpretation von Wirklichkeit zugänglich. Büchner war ein Revolutionär und ein revolutionärer Dichter, wenn auch einer ohne ein kontinuierliches Gedankengebäude.

In der Literaturforschung sah man dagegen Büchner einseitig als Dichter der Stimmung und der Atmosphäre. ,,Farbe und Licht im Kunstgefühl Georg Büchners" hieß eine für die Verbreitung des Werkes Büchners bahnbrechende und zweifellos wichtige neue Erkenntnisse bringende Arbeit aus dem Jahre 1912. Sie verkannte im Grunde Büchners Werk als Ganzes ebenso wie die einseitige politische Interpretation, aber sie machte es der Zeitströmung zugänglich. Gerhart Hauptmann wurde zum Verkünder, in Vorlesungen und Vorträgen wirkte er für das Verständnis der Werke Büchners. Nun beginnt auch die Bühne sich für ,,Dantons Tod" zu interessieren. 1912 gibt Rudolf Franz in München Büchners Dramen neu heraus. Er schafft die erste Bühnenbearbeitung. Max Reinhardt wagt die Inszenierung im Riesenraum des Großen Schauspielhauses zu Berlin. Der Erfolg entscheidet, das Werk ist für die Bühne gewonnen. Das Münchner Residenztheater und zahlreiche weitere Bühnen folgen. Nach dem Ersten Weltkriege entstanden dann auch die kritischen Textausgaben, die noch heute maßgeblich sind. Insbesondere die von Fritz Bergemann besorgte Ausgabe des Inselverlages im Jahre 1922. Nach fast 100 Jahren hatte eines der größten Dramen der deutschen Literatur endlich die Bühne und die Stellung erobert, die ihm zukam. In den ersten anderthalb Jahrzehnten nach dem Ersten Weltkrieg gehörte Büchner zu den meistgespielten deutschen Dramatikern, allerdings war „Woyzeck" das bevorzugte Werk, aber auch „Dantons Tod" erlebte viele Inszenierungen. Das expressionistische Theater sah in ihm einen Vorläufer oder ersten Vertreter. Piscator, Jeßner, Fehling und viele andere inszenierten seine Werke. Nach 1933 nahmen emigrierte Theaterleute auch Büchners Werke mit ins Ausland, Schritt für Schritt wurden sie Bestandteil der Weltliteratur. Als Zeugnis der neuen Bewertung Büchners darf auch der 1923 von der Stadt Darmstadt gestiftete Büchner-Preis für Dichter und Schriftsteller gelten, der nach dem letzten Kriege u. a. an Fritz Usinger, Anna Seghers, Elisabeth Langgässer und Gottfried Benn verliehen wurde. In Deutschland blieb Büchner zwischen 1933 und 1945 nicht unbeachtet, aber er war doch der herrschenden Meinung fremd. Nach 1945 wurde er wieder häufig gespielt, wieder stand „Woyzeck" im Vordergrund, aber auch „Dantons Tod" wurde nicht vernachlässigt. Ein wesentlicher Beitrag zur Weltgeltung des Werkes wurde die Inszenierung im Palais de Chaillot in Paris durch Jean Vilar im Jahre 1953. Auch das musikalische Theater bemächtigte sich des Stoffes - 1947 wurde in Salzburg die Oper „Dantons Tod" des 1918 in Bern geborenen Blacherschülers Gottfried von Einem uraufgeführt, die verschiedentlich nachgespielt worden ist. Es hat also sehr lange gedauert, bis man die schöpferische Leistung des Dramatikers Büchner begriff, aber heute gilt ihm die größte Ehrfurcht. Sein wie aus dem Nichts geschaffener dramatischer Erstling ist als Werk der frühen Vollendung eines überragenden Genius erkannt.

ZU DEN QUELLEN VON „DANTONS TOD"

Büchner hat für „Dantons Tod" sehr umfangreiche Quellenstudien gemacht, wenn auch das Werk selbst in fieberhafter Hast

14

niedergeschrieben wurde. Sein Ziel war, eine geschichtliche Epoche so wiederzugeben, wie sie war, ohne etwas zu verändern oder hinzuzufügen. Am 2. Juli 1835 schrieb er aus Straßburg: „Der dramatische Dichter ist in meinen Augen nichts als ein Geschichtsschreiber, steht aber über letzterem dadurch, daß er uns die Geschichte zum zweitenmal erschafft und uns gleich unmittelbar, statt eine trockne Erzählung zu geben, in das Leben einer Zeit hineinversetzt, uns statt Charakteristiken Charaktere und statt Beschreibungen Gestalten gibt. Seine höchste Aufgabe ist, der Geschichte, wie sie sich wirklich begeben, so nahe als möglich zu kommen." Er schreibt diese Zeilen, um die beanstandeten „unsittlichen" Stellen seines Dramas zu verteidigen: „Ich kann doch aus einem Danton und den Banditen der Revolution nicht Tugendhelden machen! Wenn ich ihre Liederlichkeit schildern wollte, so mußte ich sie eben liederlich sein, wenn ich ihre Gottlosigkeit zeigen wollte, so mußte ich sie eben wie Atheisten sprechen lassen. Wenn einige unanständige Ausdrücke vorkommen, so denke man an die weltbekannte, obszöne Sprache der damaligen Zeit, wovon das, was ich meine Leute sagen lasse, nur ein schwacher Abriß ist."

Die „damalige Zeit" ist jene Periode der Revolution, in der sie beginnt, „wie Saturn ihre eignen Kinder aufzufressen" (I,5). Mit blutiger Grausamkeit sind die Aufstände der Royalisten in der Bretagne und Vendée niedergekämpft, gleichzeitig ist aber auch der Höhepunkt der Schreckensherrschaft erreicht. Das Revolutionstribunal zur Aburteilung politischer Gegner wird am 10. März 1793 eingesetzt, am 6. April wird der Wohlfahrtsausschuß zur obersten Revolutionsbehörde. Unaufhaltsam ist die Radikalisierung, unaufhaltsam treibt die Revolution aber auch zu Diadochenkämpfen ihrer Führer. Die Girondisten werden geächtet, ihre Aufstände in Marseille und Bordeaux grausam unterdrückt, die Führung der Girondisten in ihrem Blute erstickt. Die am 24. 6. 1793 beschlossene Verfassung wird bald wieder suspendiert, weil sie der Herrschaft der Jakobiner lästig wird. Der Kampf um die Existenz unter vielfach widerstrebenden Mächten zwingt die Jakobiner alle Machtmittel einer von einer autoritären, rücksichtslosen Minderheit beherrschten radikalen Demokratie einzusetzen, zu vernichten, um nicht selbst vernichtet zu werden. Aus der bis dahin noch immer den Schein des Rechtes wahrenden Justiz des Schreckens wird nun nackter Mord der sich der Mittel der Revolutionsjustiz bestenfalls noch zur Täuschung des Pöbels bedient. Vorübergehend spitzt sich der Kampf um die Vorherrschaft auf die beiden jakobinischen Führer Danton und Robespierre zu. Im März 1794 droht ihnen gemeinsame Gefahr von Hébert und seinen Anhängern. Vor allem Danton war es zu verdanken, daß sie in raschem, hartem Zugriff beseitigt wurden. Damit aber stieg die Eifersucht Robespierres auf den Gipfel. Er mußte wohl auch zu Recht befürchten, daß ein nächster Schlag Dantons sich gegen ihn richten würde. So kam er ihm zuvor, klagte ihn öffentlich an und erreichte seine Verurteilung und Hinrichtung. Prophetisch verkündete Danton, daß er ihm bald folgen werde. Etwa drei Monate später endete auch Robespierre unter der Guillotine, die Schreckensherrschaft war zu Ende.

Nicht den ganzen Ablauf dieser Ereignisse stellt Büchner in seinem Drama dar, er läßt sie nur als Hintergrund wirksam werden. Bei Beginn des Spieles liegt die Unterdrückung der Hébertisten bereits zurück, der Kampf zwischen Danton und Robespierre hat seinen Höhepunkt erreicht, er steht unmittelbar vor der Wende. Es kommt Büchner nicht darauf an, den Ablauf von Ereignissen darzustellen, sondern einen Zustand im Spiegel von Charakteren. Wenn er die historischen Ereignisse also mit der Sorgfalt und Treue des Historikers wahrt, so sind doch die Charaktere ganz der künstlerischen Absicht entsprechend umgeformt und gedeutet. Der Danton Büchners mit seinem tiefen Pessimismus, seiner Verzweiflung am Menschen und seiner Überzeugung von der Sinnlosigkeit der Revolution hat nichts mit dem ehrgeizigen, eitlen und brutalen Helden der Geschichte zu tun. Der historische Danton war jederzeit bereit, auch seine eigenen Anhänger und Vertrauten seiner Karriere zu opfern. Büchners Danton spürt das Gewicht der Dezembermorde wie eine Zentnerlast auf seiner Seele. Der Grundgedanke Büchners war die Sinnlosigkeit der Geschichte zu zeigen. Im Frühjahr 1834, also lange bevor er mit der Niederschrift von „Dantons Tod" begann, schrieb er aus Gießen an seine Braut: „Ich studiere die Geschichte der Revolution. Ich fühlte mich wie zernichtet unter dem gräßlichen Fatalismus der Geschichte. Ich finde in der Menschennatur eine gesetzliche Gleichheit, in den menschlichen Verhältnissen eine unabwendbare Gewalt, allen und keinem verliehen. Der einzelne nur Schaum auf der Welle, die Größe ein bloßer Zufall, die Herrschaft des Genies ein Puppenspiel, ein lächerliches Ringen gegen ein ehernes Gesetz, es zu erkennen das Höchste, es zu beherrschen unmöglich. Es fällt mir nicht mehr ein, vor den Paradegäulen und Eckestehern der Geschichte mich zu bücken. Ich gewöhnte mein Auge ans Blut. Aber ich bin kein Guillotinenmesser. Das Muß ist eines von den Verdammungsworten, womit der Mensch getauft worden. Der Ausspruch: es muß ja Ärgernis kommen, aber wehe dem, durch den es kommt — ist schauderhaft. Was ist das, was in uns lügt, mordet, stiehlt? Ich mag dem Gedanken nicht weiter nachgehen. Könnte ich aber dies kalte und gemarterte Herz an Deine Brust legen!"

Das ist zuerst das höchst sonderbare Bekenntnis eines Revolutionärs, der sich unter Einsatz von Freiheit und Leben für eine Besserung der politischen Verhältnisse verschworen hat. Man kommt nicht an dem Widerspruch im Wesen und Handeln Büchners vorbei, der als Politiker in Gießen und Darmstadt mit aller Energie und unter Mißachtung persönlicher Gefahr um das kämpfte, was er als Dichter für unmöglich, für sinnlos hielt. Dafür aber sind, wenn auch andere geistige Einflüsse und das persönliche Erlebnis Büchners beteiligt sind, die hauptsächlichen Quellen des Dramas nicht unmaßgeblich gewesen. Gutzkow berichtet, daß der eine oder andere von den Gästen, denen er das unter so merkwürdigen Umständen an ihn gekommene Manuskript am 1. März 1835 vorlas, ausrief: „Das steht ja im Thiers." Es handelt sich um die zehn Bände umfassende „Histoire de la Révolution Francaise" des Staatsmannes und Geschichtsschreibers Adolphe Thiers (1797—1877), der 1871 erster Präsident der Dritten Republik werden sollte. 1823—27 hatte er das umfangreiche Werk veröffentlicht. Obwohl eine Übersetzung erst 1855 vorgelegt wurde, war das Werk bald in Deutschland bekannt. Büchner selbst las es wie alle französischen Werke im Original. Thiers war seit 1821 Wortführer des Liberalismus gegen den König. Büchner entnahm seinem Werke manche Stellen, die Reden der Revolutionäre wörtlich, aber er wahrte gegenüber Thiers' Versuch, die Revolution zu idealisieren, alle Kritik. Thiers sieht in der Revolution eine Zeit der Vorbereitung auf jene große Epoche der französischen Geschichte, die er in seinem umfangreichsten Werk, der 1845—69 verfaßten und veröffentlichten „Histoire du Consulat et de l'Empire" die 29 Bände umfaßt, darstellte. Büchner hatte aus dem eigenen Erlebnis der Revolution die Überzeugung gewonnen, daß sie kein Weg zur Behebung bestehender Mißstände sei, daß der Fatalismus der Geschichte alles Wollen auch des edelsten politischen Geistes zuschanden machen müsse. Er sah sachlich, wo Thiers verherrlichte. Seine zweite Quelle, die 1824 erschienene zweibändige „Histoire de la Révolution Francaise" von Francois Mignet, die überwiegend Ideengeschichte der Revolution und Verteidigung des Liberalismus ist, bestärkte Büchners pessimistische Meinung. Er hat den Glauben, daß sich die Gesellschaft mit Hilfe eines gebildeten Bürgertums und seines „Idealismus" reformieren ließe, verloren, wenn er ihn jemals hatte (Wiese, S. 531). Er ist überzeugt, daß es gegen eine staatliche Ordnung, die sich auf Gewalt gründet, nur das Mittel der Gewalt geben kann, daß die Anwendung der Gewalt aber wiederum ein neues Regiment der Gewalt zur Folge haben müsse. Für Büchner ging es nicht um Pressefreiheit oder Konstitution, solche bürgerlichen Forderungen waren für ihn von zweitrangiger Bedeutung. Es ging ihm um eine staatliche Ordnung, in der es nicht mehr einer kleinen Schicht von Herrschenden erlaubt sein sollte, der Masse der hart arbeitenden, produktiven, aber wegen der Willkür der Herrschenden und ihrer zum ungerechten Machtinstrument entwickelten Gesetze im Elend lebenden Bauern- und Arbeiterbevölkerung das Blut unter den Nägeln zu erpressen. Das unterscheidet ihn von den Autoren seiner Quellen, das macht sein Werk zur scharfen Kritik dieser Quellen. Sein Pessimismus, sein Glaube an den „gräßlichen Fatalismus der Geschichte" wird härter, als er gewesen wäre, wenn er sich nicht einer Welt des bürgerlichen Fortschrittsoptimismus gegenübergesehen hätte, den alle Wirklichkeit zu offen widerlegte. „Er mußte seine Thiers und Mignet loswerden" meinte Gutzkow zu dem Begleitbrief, den Büchner ihm mit dem Manuskript von „Dantons Tod" schickte, und tatsächlich bedeutete der Abschluß des Werkes auch eine Wandlung in der politischen Haltung des Dichters, der zwar die Idee der Revolution nicht aufgab, sie aber bei der steigenden Wohlfahrt der ländlichen und arbeitenden Bevölkerung auf lange Zeit hinaus für nicht zu verwirklichen hielt.

Neben den ausführlicher besprochenen Quellen sind noch Mercier, Le nouveau Paris; Rioufte, Mémoires sur les Prisons und Strahlheim (heißt mit bürgerlichem Namen J. K. Friedrich), Die Geschichte unserer Zeit zu nennen. Insgesamt übernimmt Büchner fast 1/6 wörtlicher Zitate. Dieses Vorgehen wird von Höllerer als ‚die neue Technik', (die) durch ausschnitthaftes Zitieren und richtiges Einsetzen dieser Zitate visionäre Nähe zu sei-

nen Gegenständen (erreicht), interpretiert. Büchner nimmt durch
dieses Vorgehen modernste Kompositionen des „Dokumentations-
theaters» eines Weiß oder Hochhuths vorweg; auch Brecht hat
sich solcher Kompositionselemente bedient.

SPRACHLICHE UND SACHLICHE ERLÄUTERUNGEN

Zum Personenverzeichnis:

Danton, Georges, geb. 28. 10. 1759 in Arcis-sur-Aube, gest. 5. 4. 1794
zu Paris; Advokat. Er war eine schwer durchschaubare, innerlich
zwiespältige Natur. 1789 wurde er durch mitreißende Beredsamkeit zum Führer der unteren Volksschichten. Mit Desmoulins und
Marat gründete er 1790 den radikalen Klub der Cordeliers, so benannt nach dem Versammlungslokal, einem ehemaligen Franzis-
kanerkloster. Stürmische Zustimmung fand er mit der Forderung
nach der „natürlichen Grenze", also ier Rheingrenze in der gesamten Länge des Stromes, für Frankreich. Als Justizminister
gestaltete er die Justiz zum Terrorinstrument um. Ob er die
Septembermorde an den Royalisten anordnete, ist unsicher,
jedenfalls hat er sie bereitwilligst geduldet und später gerecht-
fertigt. Als Mitglied des Konvents schuf er einen außerordent-
lichen Gerichtshof für politische Verbrecher, das spätere Revolutionstribunal. Er versuchte, sich den Girondisten anzunähern, als
er die steigende Macht der Jakobiner bemerkte. Als diese ihn
zurückwiesen, weil er ihnen als Radikalist verdächtig war,
wandte sich Danton rückhaltlos der Bergpartei zu, stürzte mit
ihrer Hilfe die Girondisten und wurde eine Zeitlang neben
Robespierre und Marat der führende Kopf des Wohlfahrtsausschusses. Im März 1794 unterdrückte er gemeinsam mit Robespierre die Hébertisten, erlag aber bald darauf selbst dessen
Eifersucht, die er nicht ernst genug nahm, und starb zusammen
mit 13 Anhängern (Dantonisten) auf der Guillotine.
Desmoulins, Camille, geb. zu Guise, Dep. Aisne, am 2. 3. 1760,
gest. am 5. 4. 1794 in Paris. Schriftsteller und Advokat. Er stiftete
1789 das Volk zum Sturm auf die Bastille an, als Begründer der
Revolution wird er am 14. 7. gefeiert. Mit Danton gründete er
den Klub der Cordeliers und bekämpfte die Girondisten. Ende
1793 aber trat er in seinem Blatt „Le vieux Cordelier" (im Text

„Alter Franziskaner") der Schreckensherrschaft entgegen und wurde als Parteigänger Dantons hingerichtet.

Fabre d'Eglantine, Philippe-Francois-Nazaire, 1755 — 5. 5. 1794; Lustspieldichter. In den meisten seiner geistreichen und amüsanten, aber nachlässig gebauten Lustspiele macht er sich zum Verkünder der Ideen Rousseaus. Er nahm an der Revolution teil, auf ihn gehen die neuen Monatsnamen zurück. Als Anhänger Dantons geriet er in Gefahr, zog sich zwar noch im letzten Augenblick zurück und entging der ersten Verfolgung. Einen Monat nach Danton aber starb auch er auf dem Schafott. Populär ist noch heute sein Lied: „Il pleut, bergère".

Mercier, Paul Pierre M. de la Rivière, 1720—1794; französischer Volkswirt und Hauptvertreter der physiokratischen Schule. Er starb 74jährig im Gefängnis.

Payne, Thomas Paine, 1737—1809; ein Amerikaner. Er kämpfte 1776—1783 für die amerikanische Unabhängigkeit und wurde durch Flugschriften bekannt. 1787 ging er nach England, wo er 1791 ein grundlegendes Werk über die Menschenrechte veröffentlichte. Deswegen mußte er nach Frankreich fliehen, wo er in den Nationalkonvent gewählt wurde. Robespierre aber sah eine Gefahr in ihm und ließ ihn einkerkern. Im Gefängnis schrieb er den größten Teil seiner deistischen Abhandlung „Das Zeitalter der Vernunft". 1802 kehrte er in die USA zurück. Dichterisch behandelt von Hanns Johst: „Thomas Paine" (1927).

Robespierre, Maximilian de, geb. zu Arras am 6. 5. 1758, gest. zu Paris am 28. 7. 1794. Advokat; als Revolutionär ging er zeitweilig mit Danton zusammen und wurde führender Mann des Jakobinerklubs. Im Juli 1793 übernahm er die Präsidentschaft im Wohlfahrtsausschuß. Am 7. 5. 1794 wurde offiziell das „Dasein eines höheren Wesens und die Unsterblichkeit der Seele" auf seine Veranlassung zum Gesetz erhoben. Er hatte fast alle seine Gegner, Hébert und Danton beseitigt, nach Dantons Tod regierte er fast diktatorisch. Aber seine Grausamkeit brachte unter seinen eigenen Anhängern eine Verschwörung zustande. Am 9. Thermidor, also am 27. Juli 1794, wurde er gestürzt, einen Tag später hingerichtet. Damit hatte die Zeit der Schreckensherrschaft ihr Ende erreicht.

St. Just, Antoine de, 1767—1794; Schriftsteller. Er wurde 1792 Mitglied des Nationalkonvents und war einer der leidenschaftlichsten Anhänger Robespierres. Als solcher arbeitete er mit am Sturz der Girondisten und Dantons. 1793/94 war er Konventskommissar bei der Rhein- und Nordarmee. Er wurde mit Robespierre gestürzt und hingerichtet.

Zum Text:
Die Szeneneinteilung folgt der von A. zur Nedden besorgten Ausgabe des Reclam-Verlages. Die ursprüngliche Fassung, der die meisten Ausgaben folgen, hat keine Zählung der Szenen. Zur Erleichterung der Orientierung wird deshalb die szenische Bemerkung Büchners wiedergegeben.

Erster Akt

1. Szene

Julie (Louise, geb. Gély), Dantons zweite Frau, Heirat 1793. Obwohl Danton der katholischen Kirche sehr kritisch gegenüberstand, ließ er sich wegen der innigen Zuneigung zu Julie kirchlich trauen. Über eine Untreue, im Gegensatz zum Drama, geht aus den Quellen nichts hervor.

„Das Coeur...": Herz, Carreau = Karo; Büchner denkt wohl an das Tarockspiel, bei dem Herz Karo sticht. Die Wendung Dantons ist aber zweideutig, die Dame zeigt ihrem Manne zwar das Herz, scheut aber nicht die Hingabe an andere.

„Schlagen Sie den Daumen nicht so ein": das Einschlagen des Daumens bringt nach altem Spieleraberglauben Glück.

„in die rote Mütze": die Jakobinermütze, phrygische Mütze. Der „heilige Jakob" ist spöttische Anspielung auf die Jakobiner, die in einem aufgehobenen Kloster St. Jakob tagten.

Dezemvirn: lateinisch: decemviri = zehn Männer, ein römisches Beamtenkollegium aus zehn Männern. Es gab mehrere solcher Kollegien, so 451 v. Chr. die decemviri legibus scribundis, die im Kampf zwischen Patriziern und Plebejern das Gesetz (Zwölftafelrecht) abfassen sollten. Philippeau braucht die Bezeichnung spöttisch antikisierend im Sinne „Machthaber".
Während der französischen Revolution die zehn Mitglieder des Wohlfahrtsausschusses.

Antediluvianer: vorsintflutliche Wesen.

Advokat von Arras: Robespierre. nach seinem Heimatort.

der Genfer Uhrmacher: Jean-Jacques Rousseau (1712—1778), der als Sohn eines Uhrmachers in Genf geboren ist und eine Zeitlang das Handwerk seines Vaters ausübte.

Fallhütchen: angeblich von Rousseau erfundene wulstartige Kopfringe, die man kleinen Kindern beim Spiel als Schutz gegen Verletzungen aufsetzte.

Marats Rechnung: Jean Paul Marat (1744—1793); er gab als radikaler Volksführer seit 1789 den „Publiciste Parisien" heraus. Nach dem Sturz des Königtumes schloß er sich Danton an. Zur Rechtfertigung der Septembermorde rechnete er die Hinmetzelung von je 500 Royalisten gegen 500 000 Bürger auf, die dadurch angeblich bewahrt wurden. Insgesamt sollen etwa 11 000 Gefangene ermordet worden sein. Am 13. 7. 1793 wurde Marat von Charlotte Corday erstochen.

„die ausgestoßenen Deputierten": die Mitglieder der Gironde, soweit sie nicht hingerichtet waren. Sie trugen die Bezeichnung nach dem Département Gironde, aus dem ihre Führer stammten (Vergniaud, Guadet, Gensonné). Mit Bissot, Roland und Condorcet zusammen bildeten sie eine Gruppe, die auf Vollendung der französischen Revolution drängte. 1791 hatten sie Übergewicht in der Nationalversammlung. Die inneren Schwierigkeiten veranlaßten sie zu einer Prestigepolitik nach außen und zur Kriegserklärung an Österreich im April 1792. Die Girondisten vertraten in erster Linie das intellektuelle, grundbesitzende und in wirtschaftlicher Beziehung liberal denkende Bürgertum, zugleich forderten sie provinzielle Selbstverwaltung. Das brachte sie in schärfsten Gegensatz zu den Jakobinern, die die Pariser Kommune gegen sie aufhetzten. Die Folge war die Verhaftung und Hinrichtung zahlreicher Girondisten. Ein Gegenaufstand in Nordfrankreich und den Städten Bordeaux und Marseille wurde blutig unterdrückt. Ein Teil der Girondisten hatte die Verfolgung überlebt, sie kehrten nach dem Ende Robespierres in den Konvent zurück. Danton drängt nun ebenfalls auf Abschluß der Revolution.

„der göttliche Epikur": griechischer Philosoph (341—271 v. Chr.) Er forderte den geistigen Genuß, die vergeistigte Lust, die andauert und nicht durch Leidenschaft und Üppigkeit gestört wird. In römischer Zeit schon wurde seine Lehre zur Forderung nach ungehemmtem Lebensgenuß vergröbert.

Venus mit dem schönen Hintern: Venus Kallipyx, eine antike Statue der Aphrodite (Venus), bei der die Göttin nach hinten blickt.

Chaliers: radikaler Revolutionär, der 1793 bei der Erhebung der Reaktion, der Royalisten, in der Stadt Lyon gegen die Jakobiner von seinen politischen Gegnern hingerichtet wurde. Wie der ermordete Marat gilt er den Jakobinern als Märtyrer, als „Heiliger" der Bewegung.

„gespreizte Katone": nach Marcus Porcius Cato Censorius major (234—149 v. Chr.), der als Zensor gegen den sittlichen Verfall der römischen Oberschicht ankämpfte, alte Römersitte wiederherstellen wollte. Er bekämpfte Cäsar aus republikanischer Gesinnung und beging nach Cäsars Sieg bei Thapsus Selbstmord, weil er unter einem Tyrannen nicht leben wollte. Sein Schwiegersohn war Marcus Junius Brutus, der Verschwörer gegen Cäsar.

2. Szene (eine Gasse)

Sublimatpille: Heilmittel gegen Geschlechtskrankheiten aus einer Quecksilberverbindung. Die französische Revolution führte zeitweilig zu einem starken Anstieg der Erkrankungen dieser Art, so daß der Bedarf an Quecksilberheilmitteln sehr groß war. Darauf gibt es im Stück zahlreiche Anspielungen (z. B. in der Szene mit den Grisetten, I, 5).

Vestalin: Priesterin der Vesta (griech. Hestia), der Göttin des heiligen Herdes. Die Vestalinnen hüteten das Feuer im Tempel der Göttin, sie waren auf 30 Jahre zur Keuschheit verpflichtet und lebten beim Tempel in einer Art klösterlicher Gemeinschaft. Sie durften das heilige Feuer bei schwerer Strafe nie verlöschen lassen. Die Behandlung des alten Weibes als Vestalin travestiert ebenso wie die folgenden und ohne Verständnis gebrauchten römischen Namen die Sucht der französischen Revolution, sich mit einer römischen Fassade zu umgeben.

Virginus, Lukretia: Zum historischen Verständnis des Ausspruches von Simon: Simon verwechselt hier Lukretia mit Virginia (Lukretia erstach sich selbst, nachdem sie Sextus Tarquinius entehrt und geschändet hatte), dies führte zum Sturz der Königsherrschaft in Rom (510 v. Chr.). (Virginia wurde von ihrem Vater Virginius erstochen, weil ihr der Dezemvirn Appius Claudius Crassus nachstellte, und er sie aber nicht zur Frau bekommen sollte.)

„Die da liegen in der Erden...": aus einem hessischen Bänkelsängerlied auf den Schinderhannes, das der „rote Becker" (Büchner-Freund August Becker, ein ehemaliger Theologe) häufig sang.

Aristides: athenischer Staatsmann (etwa 550—467 v. Chr.); Sieger von Salamis und Plätää. Seine loyale Haltung trug ihm den Beinahmen „der Gerechte" ein. Sein Name wurde sprichwörtlich für einen gerechten, unbestechlichen Staatsmann. Robespierre hörte sich gern so nennen.

Baucis: im griech. Mythos die Gattin des Philemon; sprichwörtlich für alte treue Gattin.

Porcia: die Gemahlin des Brutus und Tochter Catos. Der betrunkene Souffleur erinnert sich an Dramen Shakespeares. Er zitiert im folgenden eine allerdings verderbte Stelle aus „Hamlet" (V. 2), in der Hamlet den Laertes wegen der Friedhofszene um Vergebung bittet.

3. Szene (der Jakobinerklub)

Ein Lyoner: in Lyon am Zusammenfluß von Rhône und Saône tobte 1793 eine Gegenrevolution gegen die Jakobiner, die mit ungewöhnlicher Grausamkeit niedergeschlagen wurde. Ronsin war wie Chaliers (s. I. 2) ein jakobinischer Führer, der von den Gegenrevolutionären hingerichtet wurde. Der Hébertist Gaillard, der sich der Gefangennahme durch Selbstmord entzog, hatte dadurch Sympathien bei seinen Gegnern gefunden. „Hure der Könige" nennt der Lyoner die Stadt, weil sie besonders königstreu war.

Pitt: gemeint ist William Pitt der Jüngere, der 1793 die Blockade über die französischen Häfen verhängte.

„Wir werden der Becher des Sokrates..": der Sinn dieser Phrase ist: wir sind bereit mit euch um der Wahrheit willen zu sterben.

„Diktionär der Akademie": 1635 gründete Richelieu die Académie Française in Paris, die heute 40 Mitglieder umfaßt (les quarante immortels). 1694 begann die Herausgabe des für die französische Grammatik maßgeblichen Dictionnaire de l'Académie. Nach ihm zu sprechen galt als gebildet.

Medusenhäupter: Medusa war eine der Gorgonen, deren Anblick jeden zu Stein werden ließ. Perseus erschlug sie, indem er ihren Anblick vermied und nur ihr Spiegelbild in seinem Schild betrachtete.

„in zwei Abteilungen, wie in zwei Heereshaufen": Robespierre meint die Royalisten, die ausgerottet sind, mit der einen Faktion, die andere aber besteht für ihn aus allen, die zur Milde und zum Abschluß der blutigen Revolution drängen. Die Männer dieser Faktion (Partei, Gruppe) parodieren die Revolution, indem sie ihre Handlungen übertreiben und gleichzeitig die Gewohnheiten der alten Herren nachahmen. Damit meint er die Hébertisten und die Dantonisten, die er ausgerottet sehen will. Es kam ihnen nur darauf an, die Front der Revolution zu sprengen, eine „Diversion" zu machen.

„der Satellit": der Leibwächter; Anspielung auf die Schweizer Garde des Königs, die ermordet wurde.

„Seufzer, welche nach England fliegen": also den äußeren Feind der Republik gewinnen wollen.

Machiavellismus: nach Niccolo Machiavelli (1469—1557). Er lehrte die Unvereinbarkeit von Politik und Moral und forderte in „Il principe" (1532) den Fürsten, der ohne Rücksicht auf moralische Forderungen jedes Mittel für die Macht einsetzt, das ihm im Wechselspiel des Glückes (der Fortuna) nützt.

„die Goldhände der Könige gedrückt": d. h. von ihnen bestochen worden.

„Tacitus parodiert": Camille Desmoulins hatte in seiner Zeitung Stellen aus Tacitus mit deutlicher Anspielung auf die Gegenwart übersetzt. Sallust hat in seinem Geschichtswerk u. a. die Verschwörung des Catilina gegen die römische Republik dargestellt. Robespierre will ihr travestieren, d. h. ihn auf seine Feinde anwenden, einen Schlag gegen seine politischen Gegner daraus konstruieren.

4. Szene (eine Gasse)

Minotaurus: das Ungeheuer im Labyrinth des Königs Minos in Knossos auf Kreta, dem alle neun Jahre sieben Jünglinge und Jungfrauen geopfert werden mußten, bis es Theseus erlegte.

Mediceische Venus: eine Kopie einer griechischen Statue der Aphrodite aus dem 1. Jahrhundert n. Chr., die nach ihrem früheren Besitzer, einem Medici und Herzog von Toskana, benannt ist.

Palais Royal: ursprünglich Sitz des Herzogs von Orléans, in der Revolutionszeit Vergnügungsstätte.

5. Szene (ein Zimmer)

„Legendre gibt einer die Disziplin": er will sie von der Verwerflichkeit ihres Lebens überzeugen.

Adonis: Geliebter der Aphrodite, der von einem wilden Eber zerrissen wurde. Anspielung auf seinen scheußlichen Tod.

„sich in die Toga zu wickeln": wie Cäsar, als er ermordet wurde.

„Paetus, es schmerzt nicht": Worte der Aria, der Gattin eines römischen Verschwörers, die sich selbst tötete und ihrem Gatten, der sich vor dem Tode fürchtete, den blutigen Dolch mit diesem Ausspruch reichte.

„aus der Terreur herausgekommen": es geht kein Schrecken mehr von ihm aus.

„Brutus, der seine Söhne opfert": Lucius Junius Brutus, der angebliche Begründer der römischen Republik. Nach der Sage soll er seine beiden Söhne zum Tode verurteilt haben, als sie versuchten, das Königsgeschlecht der Tarquinier zurückzuführen.

„die Skala herumzukehren": Danton erkennt, daß entweder Robespierre ihn beseitigen wird oder er ihn beseitigen muß.

„wie Saturn": schon früh wurde der altitalische Gott Saturn mit Kronos gleichgesetzt, der nach der Sage alle seine Kinder bis auf Zeus verschlang, als ihm geweissagt wurde, er würde durch sie entthront.

„Danton ... ein toter Heiliger": wie einer der toten Helden der Revolution, die zwar geehrt werden, aber keinen Einfluß mehr haben.

Carmagnole: revolutionäres Tanzlied, nach dem kurzen Wams der piemontesischen Arbeiter aus der Stadt Carmagnola benannt, die in Marseille an der Revolution teilnahmen. Dieses kurze Wams als Gegensatz zum Frack der vornehmen, nach allerneuester Tagesmode gekleideten Kreise wurde von fanatischen Revolutionären getragen.

„mich im Arsenal aufheben": für alle Fälle leben lassen.

Mons Veneris: Schamberg.

Tarpejischer Fels: Felsen am Westabhang des Capitols in Rom. Bei bestimmten Verbrechen wurde die Hinrichtung dadurch vollzogen, daß der Verurteilte von diesem Felsen herabgestürzt wurde.

6. Szene (ein Zimmer)

proskribieren: ächten.

„die der toten Aristokratie die Kleider ausgezogen": die Lebensgewohnheiten der Aristokraten fortgesetzt.

„der alte Franziskaner": die Zeitung Camille Desmoulins', „Le vieux Cordélier" nach der er diesen Spitznamen trug.

Collot: Jean Marie C. d'Herbois (1750—1796). Er war ursprünglich Schauspieler und wurde 1793 Präsident des Konvents und Richter in dem eroberten Lyon, wo er ein furchtbares Blutgericht verhängte. Nach dem Ende der Schreckensherrschaft wurde er nach Guayana deportiert.

„**Die Guillotinen-Betschwestern**": die aufgehetzten Weiber, die zu jeder Hinrichtung laufen.

„**wie St. Denis**": Der heilige Dionys wurde 273 n. Chr. auf dem Montmartre enthauptet. Der Legende nach soll er bis zum heutigen Stadtteil St. Denis gegangen sein.

„**Anfangsbuchstabe der Konstitutionsakte**": Hérault-Séchelles hatte als erster die am 24. 6. 1793 beschlossene Konstitution unterzeichnet.

„**das hippokratische Gesicht**": das Gesicht eines Sterbenden, das der große griechische Arzt Hippokrates (etwa 460—377 v. Chr.) zuerst beschrieben hatte.

„**die Fälscher geben das Ei...**": Anspielung auf die sprichwörtliche Wendung „um Apfel und Ei", also besonders billig.

Zweiter Akt

1. Szene (ein Zimmer)

„**aus zwei Hälften**": Männer und Frauen.

„**vom Tale zum Berge**": die beiden Hauptparteien des Nationalkonvents, nach der Anordnung der Sitze benannt.

Sektionen: Organisationsformen der Pariser Revolutionäre.

„**wir sind elende Alchimisten**": schlechte Goldmacher, d. h. wir wissen keine wahren Werte zu schaffen.

„**Algebraisten**": Rechner.

Epigramm: ein kurzes Sinngedicht.

„**als Lukretia ... studieren**": die tugendhafte Lukretia, die sich selbst erdolchte, als sie vom Sohne des Königs geschändet wurde, war eine beliebte Theaterfigur. Lacroix setzt Dantons Bild vom Leben als einer Theatervorstellung fort.

2. Szene (eine Promenade)

Pike, Pflug, Robespierre: Spott auf die modische Wahl von Vornamen.

à l'enfant: auf Kind, so jugendlich, wie möglich.

3. Szene (ein Zimmer)

Pygmalions Statue: nach Ovids Darstellung verliebte sich Pygmalion, ein sagenhafter König von Kypros, in die von ihm selbst geschaffene Statue einer Jungfrau. Auf seine Bitten belebte Aphrodite das Steinbild, und er vermählte sich mit ihm.

David: Jacques Louis D. (1748—1825), klassizistischer Maler, der in der Revolutionszeit sich den Jakobinern anschloß und ihre Helden in seinen Bildern feierte. Später war er Hofmaler Napoleons. Außer Bildern aus der französischen Geschichte malte er auch aus der römischen Vergangenheit.

„die Force": Pariser Gefängnis.

4. Szene (freies Feld)

„Dann lief ich wie ein Christ": der Sinn ist: dann wäre ich eben jetzt dabei, wie ein Christ zu laufen.

„Lorgnon": Einglas mit Stielgriff, heute fälschlich oft Bezeichnung für die Lorgnette, die Brille mit Stielgriff. Zur Zeit der französischen Revolution war das Lorgnon Mode der vornehmen Herren.

5. Szene (ein Zimmer)

September, in dem die royalistischen Gefangenen ermordet wurden.

„Die Könige waren noch 40 Stunden von Paris": die Heere der Österreicher und Preußen, die Ludwig XVI. befreien wollten.

7. Szene (der Nationalkonvent)

Chabot, Delaunai, Fabre: diese Deputierten waren wegen unlauterer Machenschaften angeklagt und verurteilt worden.

Lafayette, Marie Joseph La Fayette de Motier (1757—1834). Er nahm als General am amerikanischen Unabhängigkeitskrieg teil. 1789 wurde er Mitglied der Generalstände und reichte den Entwurf zur Erklärung der Menschenrechte ein. Dann befehligte er die Pariser Nationalgarde. 1792 mußte er fliehen, weil er königstreu war. Erst unter Napoleons Herrschaft kehrte er nach Frankreich zurück.

Dumouriez: Charles Francois (1739—1823), General. Im August 1792 kommandierte er die französische Nordarmee und siegte bei Valmy und Jenappes. Als er 1793 bei Neerwinden geschlagen wurde bedrohten ihn die Jakobiner. Er erkannte, daß die Armee seinem Plan nach Paris zu marschieren und die Jakobiner auszuheben nicht folgen würde, und ging zu den Österreichern über. Seit 1804 stand er in englischen Diensten.

Brissot: ein Girondist.

„des tellurischen Feuers": des feurig flüssigen Erdinneren.

14. Juli, 10. August, 31. Mai: Tage der Erstürmung der Bastille, der Tuilerien und des ersten Angriffs der Bergpartei gegen die Girondisten.

die Töchter des Pelias: sagenhafter König von Jolkos, Gestalt aus der Argonautensage. Er wurde auf Medeas Anstiften von seinen Töchtern getötet, zerstückelt und in einen siedenden Kessel geworfen.

Dritter Akt

1. Szene (das Luxembourg)

Philosoph Anaxagoras: lebte von etwa 500—428 v. Chr. Er lehrte das Dasein unendlich vieler Elemente, die er Samen nannte. Diese Samen sind alle verborgen, erst die Vernunft macht sie uns offenbar. Sie erzeugt eine Wirbelbewegung, durch die alle Samen gesondert werden. Für uns wird diese Wirbelbewegung im Umschwung des Himmels sichtbar. Schon die antike Philosophie tadelte Anaxagoras, weil er Verursachung und Zweckhaftigkeit verwechselte. Thomas Paine aber spielt hier spöttisch auf die Philosophie seines Gesprächspartners, des Pariser Prokurators Chaumette, an, der einer der Begründer des Kults der Vernunft war, der ohne wirkliche Sachkenntnis sich den Namen des griechischen Philosophen angeeignet hatte. Er will ihm durch sein „Katechisieren" den Widersinn seiner Philosophie beweisen.

„Quod erat demonstrandum": was zu beweisen war.

Madame Momoro: eine Schauspielerin, die bei öffentlichen Aufzügen die Göttin der Vernunft dargestellt hatte.

„.. die Ölung geben": der unsichere Chaumette wird nach Paines Meinung für die Riten jeder Religion empfänglich sein, wenn er sich etwas davon verspricht.

„Dogge mit Taubenflügeln": Bild für: zwiespältiger Charakter, auf der einen Seite grimmig und blutdürstig, auf der anderen sanft und Milde zugeneigt.

Leichdörner: Hühneraugen.

„Das Blut der Zweiundzwanzig": der an einem Tage hingerichteten zweiundzwanzig Girondisten.

2. Szene (ein Zimmer)

„die Handfesten": diejenigen, die am sichersten auf eine Verurteilung eingehen werden.

„ein gutes Heckefeuer"! andere Ausgaben haben „Heckenfeuer", also Beschuß aus sicherem Hinterhalt.

3. Szene (das Luxembourg)

die Römer: spöttisch für die Pariser, die sich gern mit antiken Attributen umgaben.

Bajazet: Bajasid I., mit dem Beinamen „Der Blitz" (Jyldryrum). Osmanischer Sultan (1389—1403). Er unterwarf in drei Jahren die Balkanstaaten, belagerte vergeblich Konstantinopel und besiegte 1396 König Sigismund von Ungarn. Bajasid war berüchtigt wegen seiner Grausamkeit.

4. Szene (das Revolutionstribunal)

im Pantheon: 1764—90 in Paris als Kirche der hl. Genoveva gebaut, ein antikisierender Kuppelbau, der nach dem Pantheon in Rom benannt wurde. 1791 als „Pantheon francaise" Ehrentempel der großen Franzosen.

Mirabeau: Honoré Gabriele de Riqueti, Graf von Mirabeau (1749—1791), Staatsmann und Publizist. 1789 wurde er vom dritten Stande in Aix in die Generalstände gewählt, er beherrschte die Versammlung durch seine überlegene Beredsamkeit. Er strebte eine Konstitution nach englischem Vorbild an. Im Dezember 1790 wurde er Präsident des Jakobinerklubs, im Februar 1791 auch der Nationalversammlung. Er übte einen ausgleichenden und mäßigenden Einfluß aus. Sein plötzlicher Tod hinterließ eine gefährliche Lücke für die bürgerlichen Parteien und begünstigte das Emporkommen radikaler Elemente.

Orléans: Philippe, Herzog von Orléans (1747—1793). Er wurde 1789 Mitglied der Nationalversammlung und schloß sich, obwohl er mit dem König verwandt war, der Partei Dantons an. Unter dem Namen Philippe Egalité trat er in den Nationalkonvent ein und stimmte für den Tod Ludwigs XVI. Als sein Sohn mit Dumouriez zu den Österreichern überging, wurde er verdächtigt und hingerichtet. (Über ihn: E. Th. Kossak: Philippe Egalité, ein Revolutionär im Schatten des Thrones, Luckmann Verlag Wien, 1949).

am 10. August: 1792, der Sturm auf die Tuilerien, der das Ende des Königtumes in Frankreich einleitete. Danton hatte das Volk auf dem Marsfelde zu diesem Sturm aufgefordert (den Königen den Krieg erklärt), der zur Gefangennahme des Königs führte. Am 21. Januar 1793 wurde Ludwig XVI. hingerichtet.

Satelliten des Despotismus: hier sind die Adeligen gemeint, die den Septembermorden zum Opfer fielen.

5. Szene (das Luxembourg)

Ödipus: nach der Sage tötete er seinen Vater und heiratete seine Mutter, er wurde damit also sein eigener Vater, genauer Stiefvater.

Assignaten: frz. assignats = Anweisungen; ursprünglich zinsfähige Staatsobligationen, die 1789 auf die enteigneten Güter der Kirche und der Emigranten gegeben wurden. 1790 bereits mußte ein Zwangskurs festgesetzt werden. Die Assignaten wurden Geld, mit dem der Staat seinen gewaltig ansteigenden und nicht gedeckten Etat ausglich. Ursprünglich waren für 4 Mill. Livres Assignaten ausgegeben worden. 1796 waren es über 15 Mill. Die Folge war eine Inflation; 1796, als sie außer Kurs gesetzt wurden, hatten die Assignaten nur noch etwa ein Tausendstel des Nennwertes 1794 war es noch etwa ein Viertel, damals waren sie noch gesucht.

Ein Billett: ein Briefchen.

eine Tertie: eine Drittelsekunde.

6. Szene (der Wohlfahrtsausschuß)

parodierte den Jupiter: der erzürnte Jupiter schleuderte Blitze herab.

insolente Physiognomien: unverschämte Gesichter, Mienen.

Septembristen: Opfer der Septembermorde.

Samson: der Scharfrichter der Revolutionszeit.

St. Pelagie: ein aufgehobenes Nonnenkloster, das als Gefängnis diente.

deine Perioden: deine Sätze, deine Argumente.

Semele: Tochter des Kadmos aus Theben. Zeus liebte sie, ihr Kind ist Dionysos. Von der eifersüchtigen Hera aufgestachelt, verlangte sie Zeus in seinem göttlichen Glanz zu sehen. Der Gott erschien ihr und tötete sie durch die Glut seiner Blitze.

Spezifikum: Heilmittel.

Moderierte: gemäßigte.

Clichy: Stadt nordwestlich von Paris. Dort sitzt eine heimliche Geliebte Barères, bei der er sich eine Ansteckung holte.

„der reizenden Demaly“: Schauspielerin, die wegen ihres lockeren Lebenswandels berüchtigt war.

Masonet: Freimaurer.

Septembriseurs: die Mörder des September.

7. Szene

Die Conciergerie: das Pariser Untersuchungsgefängnis.
Herbstzeitlose: Colchicum, Gattung der Liliazeen. Sie bildet alljährlich im Herbst die Zwiebelknolle für das nächste Jahr. Im Frühjahr entspringen ihr die blättertragenden Stengel und die Kapselfrüchte mit den Samen, die aus der Blüte des Vorjahres entstehen.

Vierter Akt

2. Szene (eine Straße)

„Du bewunderst Brutus?": hier ist Marcus Junius Brutus, der Mörder Cäsars, gemeint, der seine Frau Porcia allein in Rom zurückließ, als er fliehen mußte. Er trug ihren Selbstmord mit heroischer Selbstbeherrschung. In Shakespeares „Julius Cäsar" (IV. 3) wird seine Haltung von Cassius bewundert.

3. Szene (die Conciergerie)

nach Platon: hier ist der mittelalterliche Neuplatonismus mit seiner Dämonenlehre gemeint. Er nahm eine Stufenreihe von Mittelwesen zwischen Gott und der Welt an.
„die Nachtgedanken": ein Buch Edward Youngs (1683—1765), das Gedanken über Leben, Tod und Unsterblichkeit dichterisch behandelt.
„die Pucelle": ein Spottgedicht Voltaires auf die Jungfrau von Orléans.

4. Szene (Platz vor der Conciergerie)

„mit unserem Metier": eigentlich: unserem Handwerk, hier Gewerbe.
„Quarantäne halten": spöttische Anspielung auf die angebliche Geschlechtskrankheit des Gesprächspartners. Sonst Maßnahmen gegen die Einschleppung von Seuchen.

5. Szene (die Conciergerie)

„die kosmopolitischsten Dinge": kosmopolitisch bedeutet weltbürgerlich. Danton braucht den politischen Begriff hier als Spott auf die Vorliebe der Revolutionäre für politische Fachausdrücke im Sinne „allgemein zugänglich".

Klytämnestra: Gemahlin des Agamemnon. Sie tötete ihn mit Hilfe ihres Geliebten und Schwagers Ägisth, als er von Troja heimkehrte.
„in den glühenden Molocharmen": ein semitischer Gott, der durch Menschenopfer, insbesondere durch das Opfer der Erstgeburt, verehrt wurde.

6. Szene (ein Zimmer)

eine Phiole: birnenförmiges Glasgefäß mit langem, engem Hals: Früher oft zur Aufbewahrung von Giften benutzt.

7. Szene (der Revolutionsplatz)

Charon: in der griechischen Mythe der Fährmann, der die Toten auf seinem gebrechlichen Kahn über den Grenzfluß Acheron oder Styx in die Unterwelt bringt.
Libation: Trankopfer, bei dem einige Tropfen auf den Boden gegossen wurden.

8. Szene (eine Straße)

beim Konstitutionsfest: am 17. 6.; an diesem Tage hatten sich 1789 die Abgeordneten des dritten Standes als Verfassunggebende Versammlung (Constituante) erklärt.

Letzte Szene

Ellervater: mundartlich: Großvater.
„Es ist ein Schnitter...": aus „Des Knaben Wunderhorn".

GANG DER HANDLUNG

Erster Akt

1. Szene

Ein Pariser Salon der Revolutionszeit. Hérault-Séchelles und einige Damen sitzen am Spieltisch. Danton sitzt abseits zu Füßen seiner Frau Julie und beobachtet die Gesellschaft. Er kommt zu dem Schluß, daß es unmöglich ist, den anderen zu erkennen, daß im Grunde jeder Mensch einsam ist. Julie glaubt, daß die Liebe diese Einsamkeit aufheben und zwei Menschen verbinden kann. Auch darin will Danton nicht die letzte Beseitigung der Isolierung des einzelnen sehen, wenn auch die Illusion der Gemeinsamkeit Ruhe geben kann. Er drückt es im Bilde aus. „Ich liebe dich wie das Grab." Unterdessen ist das Spiel beendet. Hérault scherzt in zweideutigen Wendungen über das Unglück der Dame, die verloren hat. In seinen Worten schwingt aber auch versteckter Spott auf die Revolutionäre mit, die glauben, mit der moralischen Geste die herrschende Unsittlichkeit beheben zu können. Camille Desmoulins und Philippeau kommen hinzu. Sie sind ernst, und Danton spottet darüber in Wendungen, die Ironie auf die politische Lage, die wachsende Macht der Jakobiner enthalten. Camille antwortet ebenfalls ironisch, aber Philippeau lenkt die Aufmerksamkeit auf die wachsende Gefahr. Täglich fallen Opfer der Revolution, der blutige Terror kann auf die Dauer jedoch kein Weg zur Befriedung sein. Er tritt dafür ein, daß der Gnadenausschuß eingesetzt wird und die ausgeschlossenen Deputierten zurückkehren. Nun mischt sich auch Hérault ein. Er hat erkannt, daß die Revolution „ins Stadium der Reorganisation gelangt" ist. Sie muß aufhören, die Republik muß beginnen. Die Freiheit des einzelnen darf weder durch übertriebene Pflichten noch gar durch amtlich verfügte Tugend eingeschränkt werden. Jeder „muß sich geltend machen und seine Natur durchsetzen können. Er mag nun vernünftig oder unvernünftig, gebildet oder ungebildet, gut oder böse sein, das geht den Staat nichts an." Camille ist gleicher Meinung. Er will eine Welt des freien, ästhetischen Genusses. Danton soll den Angriff im Konvent machen. Dieser aber zweifelt am Sinn eines solchen Vorgehens. Im Grunde ist niemand zuverlässig. Wenn er den Kampf begann, so führte ihn nur die Abneigung gegen die „gespreizten Katone", die im Grunde heimtückischen Tugendhelden, die aus ihrer Tugend Profit für sich schlagen wollen, dazu. Er verläßt gelangweilt die Gesellschaft, erklärt aber im Abgehen, daß „die Statue der Freiheit noch nicht gegossen" ist, und daß sie sich alle bei diesem Guß „die Finger verbrennen" können. Die Freunde aber sind sicher, daß er das politische Spiel doch nicht lassen kann.

2. Szene (eine Gasse)

Der betrunkene Souffleur Simon, der in seinem Rausch alle möglichen antiken Gestalten zitiert, die er von der Bühne kennt, prügelt sein Weib, weil es ihre Tochter als Hure auf die Straße schickt. Gegenüber Bürgern, die ihr zu Hilfe kommen und nun derbe Witze machen, entschuldigt sie ihn mit seiner Trunkenheit. Ihre Tochter aber ist „ein braves Mädchen und ernährt ihre

Eltern". - Als Simon auffährt, überhäuft sie ihn mit unflätigen Beschimpfungen. Ein Bürger nimmt das Mädchen in Schutz. Es ist nur ein Opfer der Armut. Beseitigen muß man diejenigen, die Kinder armer Leute zum Huren und Betteln zwingen. Derber greift ein dritter Bürger ein, der nach wüsten Drohungen gegen die Besitzenden erklärt: „Totgeschlagen, wer kein Loch im Rock hat!" Schon wird ein junger Mensch herbeigeschleppt: „Er hat ein Schnupftuch! Ein Aristokrat! Er schneuzt sich nicht mit den Fingern? An die Laterne!" Vorbereitungen zum Hängen werden getroffen. Das Flehen um Erbarmen ruft nur die Anklage hervor: „Unser Leben ist der Mord durch Arbeit, wir hängen sechzig Jahre am Strick und zappeln." Da trotzt der junge Mensch: „Meinetwegen, ihr werdet deswegen nicht heller sehen!" Dieser Mut gefällt dem Pöbel, er läßt ihn laufen. Robespierre kommt hinzu. Die Bürger beklagen sich, daß „die paar Tropfen Blut vom August und September dem Volke die Backen nicht rot gemacht" haben. Sie schreien nach Brot und neuen Opfern. Robespierre ergreift die Gelegenheit, er fühlt sich, wie ein altes Weib schreit, als der „Messias, der gesandt ist, zu wählen und zu richten". Das arme Volk darf, wie er phrasenhaft verkündet, sich nicht verlieren. Nur durch eigene Kraft kann es fallen, darauf warten seine Feinde. Aber seine Gesetzgeber werden wachen, sie werden über alle Feinde ein Blutgericht halten. Der Pöbel, der anfangs mißtrauisch war, jubelt seinen Phrasen zu und folgt ihm. Simon und sein Weib bleiben allein. Auch er zeigt jetzt den Wankelmut des Pöbels. Seine Stimmung schlägt unter Einfluß des Schnapses völlig um. Mit verderbten Hamlet-Versen erfleht er die Vergebung seines „tugendhaften Gemahls" und will sein liebes Kind suchen.

3. Szene (der Jakobinerklub)

Ein Abgesandter Lyons macht den Jakobinern bittere Vorwürfe, weil sie zu nachsichtig gegen die Feinde der Freiheit sind. Schon treten „die Mörder Chaliers" auf, „als ob es kein Grab für sie gäbe". Die Barmherzigkeit mordet die Revolution. Für die Feinde darf es keine Schonung geben. Die Rede des Lyoners wird zwiespältig aufgenommen. Da besteigt Legendre die Tribüne und erinnert daran, daß auch in Paris Männer im Wohlstand leben, die über Marat und Chaliers witzeln. Collot d'Herbois unterbricht ihn. Der Wohlfahrtsausschuß ist nicht taub, er hört die Drohungen und wird auf sie antworten. Jetzt verlangt Robes-

pierre das Wort. Er erklärt, daß man nur auf den Schrei des
Unwillens, der von allen Seiten ertönt, gewartet habe. Es kam
darauf an, den Feind aus dem Hinterhalt zu locken. Die eine
Faktion, die das „erhabene Drama der Revolution" mißbrauchen
wollte, um die Republik in ein Chaos zu verwandeln und dann
die Despotie aufzurichten, die Partei Héberts, sei nicht mehr.
Jetzt tritt eine zweite gefährlichere Partei auf, die dem Volke
unter dem Vorwande des Erbarmens die Waffen aus der Hand
reißen will. „Die Waffe der Republik ist der Schrecken, die Kraft
der Republik ist die Tugend" ohne die der Schrecken verderb-
lich ist, während Tugend ohne Schrecken hilflos ist. Die Gegner
wollen den Schrecken als Waffe der Despotie erklären und
beseitigen. Aber die Revolutionsregierung ist der Despotismus
der Freiheit gegen die Tyrannei". Erbarmen gibt es für die
Unschuld, für die Schwäche und die Unglücklichen. Aber nur dem
friedlichen Bürger und Republikaner gebührt der Schutz der
Gesellschaft. Erbarmen mit dem Feinde der Republik ist falsche
Empfindsamkeit, es schwächt die inneren Kräfte und stärkt die
äußeren Feinde. Dann schleudert Robespierre gegen seine Feinde
den massiven Vorwurf, sie wollten durch das Laster, das
„Kainszeichen des Aristokratismus" die Kraft des Volkes lähmen.
Das Laster ist in der Republik nicht nur ein moralisches, sondern
auch ein politisches Verbrechen. Es gibt aber in Paris Männer,
die behaupten, für das Volk einzustehen, und die doch alle
lasterhaften Lebensgewohnheiten der Aristokraten nachahmen.
Sie wollen die Wachsamkeit des Volkes einschläfern, um es um
so sicherer ausplündern zu können. Robespierre schließt seine
Rede mit der Versicherung: „Wir werden der Republik ein großes
Beispiel geben." Unter Hochrufen auf Robespierre und die
Republik wird die Sitzung geschlossen.

4. Szene (eine Gasse)

Legendre und Lacroix kommen aus der Sitzung des Jakobinerklubs. Lacroix macht Legendre klar, daß er mit seinem Angriff
auf die Politiker, die über Marat und Chaliers spötteln, sein
eigenes Leben in Gefahr bringt. Dem Volke ist durch alle Opfer
und Morde nicht geholfen worden. Der Wohlfahrtsausschuß muß
ihm nun neue Opfer vorwerfen, wenn er Zeit gewinnen will,
sonst kann er „sich sein Bett auf dem Revolutionsplatz" also
unter der Guillotine suchen. Legendre aber hat die Gegenrevolution (Contrerevolution) offiziell bekanntgemacht und die

Machthaber zur Energie, zum Handeln gezwungen. Nun wird auch Legendre besorgt. Er möchte zu Danton, dieser ist bei den Grisetten im Palais Royal.

5. Szene (ein Zimmer)

Danton weilt bei der Grisette Marion. Sie will erzählen und berichtet ihre eigene Geschichte, die unter allmächtigem Zwang ihrer eigenen Natur trotz aller Sorgfalt der klugen und tugendhaften Mutter in das ganz der Sinnenlust geweihte Leben führte: „Wer am meisten genießt, betet am meisten." Danton folgt diesem Gedankengang auch, er möchte im Genuß die letzte Erfüllung erleben. Da tritt Lacroix mit zwei anderen Grisetten ein, die er mutwillig und derb neckt, bis sie fortgehen. Dann berichtet er Danton von der Sitzung bei den Jakobinern. Dantons Freund Paris kommt ebenfalls hinzu. Er ist gleich vom Klub zu Robespierre gegangen und fand ihn finster entschlossen zum Handeln. Um der Freiheit willen wird er auch auf Freunde und Brüder keine Rücksicht nehmen und gelten lassen. Danton hält sich noch für stark genug, die „Skala umzukehren" und Robespierre zu vernichten. Die Freunde warnen, Danton aber ist überzeugt, daß sein großer Namen ihn sichert, daß seine Gegner nicht wagen werden, gegen ihn vorzugehen. Lacroix warnt, Robespierre stelle ihn als lasterhaft und ausbeuterisch hin. Wenn die Gegner einmal vorgingen, werde ihnen keine Lüge zu plump sein, um nicht als Kampfmittel gebraucht zu werden. Er verlangt, daß Danton handelt. Schließlich erklärt sich dieser bereit, am nächsten Tage zu Robespierre zu gehen. Besorgt lassen ihn die Freunde mit Marion allein.

6. Szene (ein Zimmer)

Danton hat mit seinem Freund Paris Robespierre aufgesucht. Robespierre erklärt ihm eindeutig, daß er in jedem seinen Feind sieht, der ihn hindern will, das Schwert zu ziehen, gleichgültig ob seine Absicht gut oder böse ist. Danton versucht, ihn zu überzeugen, daß der Mord dort beginnt, wo die Notwehr aufhört, daß aber die Revolution über das Stadium der Selbstverteidigung hinaus ist und keinen Mord braucht. Das bestreitet Robespierre. Die soziale Frage ist noch nicht gelöst, und wer eine Revolution nur halb vollendet, gräbt sich selbst ein Grab. Noch ist die „gute Gesellschaft" nicht tot. Erst wenn diese im Laster verkommene Kaste beseitigt ist, kann die Herrschaft der „gesunden Volkskräfte" beginnen. Die Tugend muß durch Schrecken herrschen, das Laster muß bestraft werden. Danton versteht nicht, wie jemand mit dem Scheine moralisch zu sein, dreißig Jahre herumlaufen mag, nur mit der Befriedigung, andere schlechter zu finden als sich selbst. Das widerspricht der Menschennatur. Wer so handelt, muß sich selber heimlich sagen: „Du lügst" sonst ist er nicht moralisch. Robespierre erklärt kühl, daß sein Gewissen rein sei. Das regt Danton auf. Er versucht ihm klarzumachen, daß das Gewissen der Spiegel der eigenen Wünsche sei. Aber Robespierre hat kein Recht, die Mittel der Schreckensherrschaft zu Mitteln der eigenen moralischen Erhebung zu machen. Wenn andere ihm nicht das Recht bestreiten, so moralisch zu sein, wie er will, so hat auch er kein Recht anderen seine moralischen Grundsätze aufzuzwingen. Er ist nicht der Polizeisoldat des Himmels, Robespierre in der typischen Beschränktheit aller moralisch Überheblichen, versteht ihn nicht. Er weicht in die Phrase aus: „Das Laster ist zu gewissen Zeiten Hochverrat." Danton warnt ihn, die Kontraste aufzuheben, zu nivellieren. Die Streiche, die fallen, aber müssen der Republik nützen, es darf kein Unschuldiger mit den Schuldigen fallen. Robespierre antwortet sarkastisch: „Wer sagt dir denn, daß ein Unschuldiger getroffen worden ist." Nun ist Danton gewarnt, er geht fort, um sich dem Volke zu zeigen.

In einem Monolog spricht Robespierre seine feste Absicht aus, Danton zu Fall zu bringen. Er fühlt sich in seinem Ehrgeiz von ihm durchschaut. Der „gigantische Schatten" Dantons nimmt ihm den Platz an der Sonne öffentlicher Anerkennung und Beliebtheit. Robespierre versucht sophistisch, seine Absicht vor sich selbst zu rechtfertigen, landet aber mit seiner Logik wieder bei der lahmen moralischen Begründung, die der gewiegte Advokat, der zwar seine Phrasen bewußt einsetzt, aber sich selbst durchschaut, als Äußerung seiner Eitelkeit erkennt. Im Grund sind Danton und er gleich. Aber der Zufall hat ihm Danton in die Hände gespielt. Was der Mensch denkt, ist vielleicht sündhaft, was er tut, ist Zwang, da ist er nicht frei.

St. Just unterbricht jäh seine Gedanken. Er und seine Gesinnungsgenossen sind fest entschlossen, gegen Danton zu handeln. Wenn Robespierre weiter zaudert, so werden sie ohne ihn handeln. Wieder spürt Robespierre den Zwang des Zufalls. Er fügt sich der Zwangslage. St. Just erklärt ihm nun den Plan. Der Gesetzgebungs-, Sicherheits- und Wohlfahrtsausschuß sollen zu feierlicher Sitzung einberufen werden. Es gilt nicht nur Danton, sondern auch seine Anhänger unschädlich zu machen, „seine Pferde und Sklaven auf seinem Grabhügel zu schlachten". Als Robespierre hört, daß auch Camille Desmoulins, der ihm besonders nahesteht, fallen soll, zögert er. Aber St. Just macht ihm klar, daß damit nur sein Feind getroffen wird, und Robespierre ist bereits viel zu sehr in den Zwang verstrickt, als daß er noch anders als folgen könnte.

Allein geblieben aber beklagt er bitter seine Vereinsamung. Er fühlt sich als Messias, der opfert, aber nicht geopfert wird. Das ist ungerecht und bringt statt Erhebung Qual: „Wir ringen alle im Gethsemanegarten im blutigen Schweiß, aber es erlöst keiner den anderen mit seinen Wunden."

Zweiter Akt

1. Szene (ein Zimmer)

Lacroix, Philippeau und Camille Desmoulins besuchen Danton, der sich eben ankleidet. Camille drängt ihn zum Handeln. Sie haben keine Zeit zu verlieren. Gleichmütig antwortet Danton, daß die Zeit sie verliert. Er fühlt sich angewidert vom Gleichmaß des Lebens, das sich in ständigen Wiederholungen erschöpft und nur Langeweile hervorbringt. Lacroix mahnt ihn, daß er durch sein Zögern seine Freunde mit ins Verderben stürzt. Er soll alle Deputierten versammeln und einen raschen Schlag gegen die Jakobiner führen. Wenn er seine Beredsamkeit entfesselt, wird er alle für sich gewinnen die bedroht sind. Danton erinnert ihn daran, daß er ihn bereits „einen toten Mann" nannte. Er hat bei den Sektionen, den Parteien vorgefühlt, aber keine Zustimmung gefunden. Alle sind wie von Angst gelähmt. Nun will er nicht mehr. Es ist ihm zu langweilig, stets die gleichen Phrasen zu gebrauchen. Er wollte sich's bequem machen, nun hat er sein Ziel erreicht, aber anders als er dachte. Die Revolution setzt ihn zur Ruhe. Die Jakobiner werfen ihm Lasterhaftigkeit vor, die Hébertisten nennen ihn den Henker Héberts, er hat alle gegen sich. Auch den Weg über den Konvent will er nicht versuchen. Er hat erkannt, daß der Kampf sinnlos ist, daß die Revolution sich selbst vernichten muß. Alles spielt sich so ab, wie auf dem Theater nach einem Plan, der einmal vorbedacht ist, dann aber abgespielt werden muß, nur daß die Darsteller zuletzt „im Ernst erstochen werden". Er mag nicht weiterkämpfen, das Leben ist

nicht der Mühe wert. Paris rät ihm zu fliehen. Aber Danton
weiß, daß er zu tief in die Revolution versunken ist, um noch
herausfinden zu können. Vor allem aber ist er immer noch sicher,
daß seine Gegner nicht wagen werden, ihn ernsthaft anzugreifen.
Er geht mit Camille fort. Lacroix aber ist nun sicher, daß sie
verloren sind.

2. Szene (eine Promenade)

Spaziergänger flanieren einher. Ein Bürger im neuen Vaterglück
sucht nach passenden, zeitgemäßen Vornamen für seinen Sohn.
Simon, der trunksüchtige Souffleur, der es liebt, unverstandene
Phrasen der Revolutionäre nachzudreschen, rät ihm zu revolutionären Namen. Ein Bänkelsänger singt von den kleinen Leuten.
Ein Bettler sucht durch ein Lied von der Vergänglichkeit des
Menschen die Aufmerksamkeit auf sich zu lenken. Ein Herr bie-
tet ihm Arbeit, wird aber abgewiesen, weil das bißchen Leben
der Mühe nicht lohnt. Grisetten kommen und bandeln mit Soldaten an. Danton und Camille beobachten amüsiert das Treiben.
Ein junger Herr flirtet lüstern mit einem jungen Mädchen, dessen Mutter es ahnungslos auf die Schönheit der Natur, für die
nur die Tugend Augen habe, hinweist. Danton aber sieht erneut
seine Meinung von der Verlogenheit und Sinnlosigkeit des
Lebens bestätigt. Zwei Herren unterhalten sich. Der erste lobt
den Fortschritt der Zeit, der zweite spricht von einem ihm un-
verständlichen Theaterstück, das ihm als getreues Bild der
schwindelnd aufgetürmten Zeit erscheint. Er leidet unter Platz-
angst und läßt sich über eine Pfütze führen: „Die Erde ist eine
dünne Kruste, ich meine immer, ich könnte durchfallen, wo so
ein Loch ist."

3. Szene (ein Zimmer)

Danton, Camille und Lucile sind zusammen. Camille verzwei-
felt an der Wirklichkeit. Die Revolution spielt sich ab wie ein
Marionettentheater. Auf der Bühne der großen Öffentlichkeit sind
alle ideal. Werden die Darsteller aber als Menschen in die Wirklichkeit gestellt, so erkennen sie diese nicht mehr, sie beharren
in ihrer Verbildung. Dem Theater jubeln sie zu, die Wirklichkeit
aber ist ihnen zu gewöhnlich. Lucile weiß, als Camille sie
befragt, keine Antwort, sie versteht ihn nicht, aber sie liebt ihn.
Da berichtet Danton, daß der Wohlfahrtsausschuß seine Verhaftung beschlossen hat, daß er seinen Kopf will. Er ist zum Sterben bereit, er ist der „Hudeleien", der provisorischen und halben
Lösungen, überdrüssig. Camille erinnert ihn, daß es noch nicht

zu spät ist. Aber Danton entschließt sich, spazierenzugehen.
Lucile ist beunruhigt, sie bangt um ihren Gatten. Camille will
sie trösten: „Danton und ich sind nicht eins." Lucile mahnt ihn
zu Robespierre zu gehen. Camille denkt an seine alte Freund-
schaft mit Robespierre, hält es für unnötig, zu ihm zu gehen, fügt
sich aber doch Luciles Wunsch. Lucile aber beklagt die böse Zeit
der niemand entfliehen kann. Ein Volkslied vom Scheiden fällt
ihr ein. Darüber bricht die ganze Hilflosigkeit kreatürlicher
Angst über sie herein.

4. Szene (freies Feld)

Danton möchte vor seinen eigenen Gedanken fliehen. Er sinnt
darüber nach, daß der Tod alles Grübeln auslöscht. Aber er ist
nicht sicher, ob der Tod wirklich Vergessen und Sicherheit vor
sich selbst bringt. Erinnerungen quälen ihn. Dann aber beruhigt
er sich selbst. Er hat ein Gefühl, das ihm sagt, daß er bleiben
wird. Er redet sich ein, daß man ihn nur schrecken will, aber
nicht wagen wird, gegen ihn vorzugehen.

5. Szene

Danton steht in der Nacht allein am Fenster. Die Gesichte, die
ihn auf seiner Flucht ins Freie überkamen, lassen ihn nicht los.
Die Vergangenheit hetzt ihn, bis er laut „September!" ruft. Julie
kommt aus dem Nebenzimmer. Sie hat sein Selbstgespräch be-
lauscht und gehört, wie er entsetzt das Wort ausrief. Danton
graut davor, daß seine Gedanken so unstet geworden sind, daß
die Steine von ihnen reden. Julie sieht seine furchtbare Verwirrung und bangt um seinen Verstand. Ihre Teilnahme gibt Danton allmählich die Fassung wieder. Die Stadt ist ruhig, alle Lichter sind aus, und doch war ihm als schrie es durch alle Gassen
„September!" Julie beruhigt ihn, er habe geträumt, Danton aber
bebt noch unter dem Grauen seiner Vision. Er saß auf der Welt-
kugel mit gewaltigen Gliedern, sie flog unter ihm dahin und
raste in den Abgrund. Er schrie aus Angst und trat ans Fenster.
Julie erinnert ihn daran, daß zur Zeit der Septembermorde Paris
aufs höchste von äußeren Feinden bedroht war, daß er das
Vaterland gerettet hat. Das will auch Danton glauben: es war
Notwehr. Aber es geht ihm wie Robespierre (1/6). Wer andere
erlösen will, muß bereit sein, sich selbst zum Opfer zu bringen.
Alle Menschen leiden, aber keiner erlöst den anderen durch sein

Leiden. Er steht unter einem Zwang, einem „Muß", das er als
Flucht empfindet, und dem er sich doch nicht entziehen kann. Die
Menschen sind Puppen, die von unbekannten Gewalten am Draht
gezogen werden. Unter solchen Gedanken beruhigt er sich.

6. Szene (eine Straße)

Simon und Bürgersoldaten sind ausgezogen, um Danton zu ver-
haften. Sie reißen dumme und unanständige Witze miteinander
und übereinander. Vom Dienst am Vaterland sind sie im Grunde
wenig erbaut: „Über all den Löchern, die wir in andrer Leute
Körper machen, ist noch kein einziges in unsern Hosen zuge-
gangen." Ein Kamerad antwortet schallend lachend mit einem
unanständigen Witz. Dann dringen sie in Dantons Haus ein.

7. Szene (der Nationalkonvent)

Legendre, der seinen früheren Angriff auf Danton bedauert, empört sich darüber, daß das Schlachten nicht aufhören soll. Niemand ist mehr sicher, wenn Danton fällt. Ein Deputierter schlägt
vor, daß Danton vor den Schranken des Konvents gehört werden
soll. Legendre spricht die Befürchtung aus, daß „Privathaß und
Privatleidenschaften der Freiheit Männer entreißen möchten, die
ihr die größten Dienste erwiesen haben". Die Meinungen gehen
hin und her. Da besteigt Robespierre die Tribüne. Er erklärt, daß
sich nun entscheiden müsse, „ob einige Männer den Sieg über
das Vaterland davontragen werden". Die Mitglieder des Konvents dürfen ihre Grundsätze nicht verleugnen, sie können nicht
heute einigen Individuen bewilligen, was anderen versagt wurde.
Das wäre ein Privileg, das solche Männer zu Götzen erhöhe. Die
Frage ist nicht, was der einzelne für die Revolution leistete, seine
ganze politische Laufbahn muß gesehen werden. Danton hat
nichts vor anderen voraus, die zur Verantwortung gezogen wurden, am wenigsten, weil er Männer um sich scharte, die hofften,
mit ihm zu Glück und Macht zu kommen. Man will die öffentliche Wachsamkeit einschläfern, indem man vor der Gefahr des
Mißbrauches der Gewalt warnt. Aber das Volk hat den Deputierten, der Konvent den Ausschüssen sein Vertrauen geschenkt, das
ist die Garantie ihres Patriotismus. Man hat auch ihn schrecken
wollen, man gab ihm zu verstehen, daß die Gefahr die sich jetzt
Danton nähert, auch zu ihm dringen könne. Er ist bereit, dieser
Gefahr ins Auge zu sehen. In kritischen Stunden können nur Mut
und Seelengröße helfen. Er appelliert an die heroischen Seelen

in der Versammlung und verlangt, daß Legendres Vorschlag abgewiesen wird.

Robespierres Phrasenschwulst hat die Deputierten schon gewonnen. Nun tritt St. Just auf. Er beweist, daß die Revolution nicht grausamer ist als die Natur, die den Menschen vernichtet, wo er mit ihr in Konflikt kommt. Die geistige Natur in ihren Revolutionen aber darf nicht mehr Rücksicht nehmen als die physische. Eine Idee muß vernichten, was sich ihr widersetzt. Der Gang der Geschichte ist rascher geworden, da ist nicht zu umgehen, daß auch mehr Opfer fallen. Er erinnert an die Höhepunkte der Revolution, immer mußte ihr Strom naturnotwendig bei jeder Krümmung seine Leichen ausstoßen. Aus dem Blutkessel der Revolution aber wird sich eine neue, herrliche Menschheit erheben. Alle Feinde der Tyrannei sind aufgefordert, diesen erhabenen Augenblick mit den entschlossenen Männern des Konvents zu erleben. Die Deputierten erheben sich begeistert über St. Justs Rede und stimmen die Marseillaise an.

Dritter Akt

1. Szene (das Luxembourg)

Ein Saal mit Gefangenen. Der einstige Prokurator des Pariser Gemeinderates und Begründer des Kultus der Vernunft, Chaumette, läßt sich von Thomas Paine über Gott und Unsterblichkeit aufklären. Durch eine Reihe von Zirkelschlüssen beweist ihm Paine ironisch, daß es keinen Gott geben kann. Der Gelehrte Mercier greift mit kritischen Fragen ein, die Paine ebenso spitzfindig widerlegt. Da Gott nur als das Vollkommene denkbar ist, die Welt aber unvollkommen ist, kann er sie nicht geschaffen haben. Nur wer das Unvollkommene beim Menschen, das Leiden wegschafft, kann Gott demonstrieren. Mercier fragt nach der Moral. Aber Paine erläutert, daß der Mensch nach seiner Natur lebt, daß der Mensch Gott nicht aus der Moral beweisen kann, weil Gott dann auch das Gegenteil seiner selbst sein müßte, was nicht zur Vollkommenheit paßt. Chaumette ist scheinbar beruhigt. Paine aber spottet hinter ihm her, weil er nach seiner Meinung bereit ist, jeden Weg zu gehen, der ihm Sicherheit verspricht.

Danton Lacroix und Philippeau werden hereingeführt. Die alten Gefangenen nehmen Danton teils mit Hohn, teils mit Verständnis auf. Hérault umarmt ihn. "Mercier aber erkennt: „Sein Leben und sein Tod sind ein gleich großes Unglück." Danton erklärt, daß er des Lebens überdrüssig und zum Sterben bereit sei. Camille bangt nur um Lucile. Mercier sagt Danton haßerfüllt, daß ihn das Blut der Hébertisten ersäufen werde. Ein anderer Gefangener aber wendet ein, daß Danton als erster das Wort „Erbarmen" gesprochen hat. Er umarmt ihn.

2. Szene (ein Zimmer)

Fouqier-Tinville, der öffentliche Ankläger, und Hermann, der Vorsitzende des Revolutionstribunals, beraten, wie sie Danton, der noch immer Anhang im Volke hat, zu Fall bringen wollen. Hermann will unter den Geschworenen, statt zu losen, die „Handfesten" auswählen, jene, die von vornherein geneigt sind, den Schuldspruch zu fällen. Einige von ihnen werden charakterisiert, es sind Dummköpfe, Trunkenbolde und Bösewichte.

3. Szene (das Luxembourg)

In einem Korridor gehen Danton und andere Gefangene auf und ab. Lacroix beklagt den elenden Zustand der unglücklichen Gefangenen. Mercier spottet über die Gleichheit, die ihre Sichel über alle Häupter schwingt. Unter dem Beifall der „Römer" muß die Guillotine republikanisieren. Durch Phrasen wurde die Revolution heraufbeschworen, aber „die mimische Übersetzung" dieser Reden sind Schufte und Henker, aus Freiheit wurde Schrecken und Mord. Danton gibt ihm recht. Die Revolution vernichtet sich selbst. Vor einem Jahr schuf er das Revolutionstribunal. Er bittet Gott und Menschen um Verzeihung dafür. Er wollte neuen Septembermorden zuvorkommen und Unschuldige retten. An die Stelle des einmaligen sinnlosen Mordens aber trat das gräßliche planmäßige mit seinen Formalitäten. Sein Plan ist fehlgeschlagen.

4. Szene (das Revolutionstribunal)

Danton wird der Konspiration mit allen Feinden der Revolution beschuldigt. Kühn verteidigt er sich. Seine Stimme, die so oft für das Wohl des Volkes ertönte, wird solche Verleumdungen ohne Mühe zurückweisen. Er verlangt, daß die Ausschüsse als Kläger und Zeugen vor dem Tribunal erscheinen. Ihm liegt im übrigen nichts an dessen Urteil, das Leben ist ihm zu Last. Hermann mahnt ihn, daß Kühnheit dem Verbrecher, Ruhe dem Unschuldigen eigen sei. Danton fährt nun auf. Privatkühnheit mag zu tadeln sein, die Nationalkühnheit aber, die er so oft zeigte, mit der er so oft für die Freiheit kämpfte, ist die verdienstvollste aller Tugenden. Ihrer bedient er sich gegen seine Ankläger. Er kehrt nun die Anklage um und beschuldigt den Verleumder St. Just. Dann beschwört er beredt seine Taten für das Vaterland. Er hat dem Königtume den Krieg erklärt und es vernichtet. Seine Kläger mögen erscheinen, er wird „die platten Schurken entlarven und sie in das Nichts zurückschleudern aus dem sie nie hätten hervorkriechen sollen". Trotz Hermanns Einspruch setzt er die Darstellung seiner revolutionären Taten fort. Die Zuhörer brechen in begeisterten Beifall aus. Hermann erkennt, daß er so Danton nicht beikommen kann. Unter dem Vorwand, er sei erschöpft und zu heftig bewegt, bricht er die Verhandlung ab.

5. Szene (das Luxembourg)

Dantons Gegner haben eine neue Heimtücke gegen ihn ausgedacht. Durch einen Gefangenenwärter lassen sie dem gefangenen General Dillon, der im Trunk Trost sucht, eine Mitteilung zustecken. Sie enthält den Erfolg Dantons vor dem Tribunal und Andeutungen, daß eine Wendung möglich sei. Dantons und Camilles Weiber sollen Geld unter das Volk werfen, es bestechen. Wenn er selbst erst frei ist, wird er tapfere Männer genug finden, die ihm helfen alle Gefängnisse zu erbrechen. Laflotte, ein Mitgefangener, hört seinen Plan und in seiner Furcht vor dem Tode beschließt er, ihn zu verraten und so sein Leben zu retten. Er stellt sich, als ob er teilnehmen wolle. Dillon soll einen Brief an Dantons Frau schreiben, er, Laflotte, will den Gefangenenwärter bestechen, daß er ihn befördert.

6. Szene (der Wohlfahrtsausschuß)

St. Just berichtet, daß auch das zweite Verhör Dantons für ihn erfolgreich war. Erneut verlangte er unter dem Beifall der Zuhörer, daß Mitglieder des Konvents und des Wohlfahrtsausschusses erschienen. Seine Verdienste machen ihn unverwundbar. Aber St. Just ist entschlossen, ihn zu beseitigen. Ein Schließer berichtet über traurige Schicksale im Gefängnis St. Pélagie, mit Hohn werden alle Klagen abgewiesen. Da erhält St. Just die Denunziation Laflottes. Er bauscht sie sofort auf. Die Gefangenen sollen angeblich befreit, der Konvent gesprengt werden. Barère bezweifelt, daß jemand solche Märchen glauben wird. Aber St. Just will den Bericht selbst abfassen und mit dem nötigen antiken Phrasengewicht beschweren. Der Konvent muß dekretieren, daß das Tribunal den Prozeß ohne Unterbrechung fortführen und jeden Angeklagten ausschließen soll, der die dem Gericht schuldige Achtung verletzt oder störende Auftritte verursacht. Er rechnet damit, daß im Konvent manche Leute, „ebenso krank sind wie Danton". Sie werden über Verletzung der Form schreien. Da braucht er die Unterstützung der jakobinischen Freunde.

Als St. Just fort ist, spotten die anderen über Robespierre und seine Tugend. Sie selbst denken nicht daran, ihr lasterhaftes Leben aufzugeben, führen es aber heimlich. Allein geblieben empört sich Barère über St. Justs kalte Mordgier. Das Morden wird kein Ende nehmen. Aber dann bedenkt er, daß er sein eigenes Leben retten muß, und entschließt sich, der herrschenden Linie zu folgen.

7. Szene (die Conciergerie)

Lacroix lobt Danton, weil er sich tapfer und lautstark verteidigt hat. Wäre er früher so aufgestanden, so wäre alles anders. Erst die Todesgefahr ließ ihn tätig werden. Camille beklagt dieses langsame Sterben. Auch Danton ist der langsame, systematische Mord zuwider. Philippeau sucht Trost in der Hoffnung, daß die Früchte der Saat, die sie säten, auch nach ihrem Tode reifen werden, daß ihr Tod nicht vergebens ist. Danton verlangt nach Ruhe, nach der Auflösung im Nichts. Doch er hat keine Hoffnung auf eine Vernichtung im Tode, der schon mit dem Anfang des Lebens begann. Er will leben, um sein Leben kämpfen. Sie wollen auf der Forderung bestehen, daß die Ankläger und Ausschüsse vor dem Tribunal erscheinen.

8. Szene (ein Zimmer)

Fouquier ist ratlos, er weiß nicht, was er zur Forderung nach einer Kommission zur Untersuchung der Anklage gegen Danton vorbringen soll. Da wird ihm die Denunziation Laflottes gebracht. Darin sieht er endlich den Ausweg.

9. Szene (das Revolutionstribunal)

Danton geht über seine Verteidigung hinaus zum offenen Angriff gegen seine Feinde über. Fouquier verliest nun den Beschluß des Konvents, nach dem wegen der Meuterei in den Gefängnissen und des Planes Dillons das Tribunal ermächtigt wird, die Untersuchung fortzusetzen und jeden Angeklagten „der die dem Gesetz schuldige Ehrfurcht außer Augen setzen sollte" von den

Debatten auszuschließen. Danton fragt empört, ob er dem Volke oder dem Konvent Hohn gesprochen hat. Viele Stimmen jubeln ihm zu. Nun wagt er das Letzte, er schleudert gegen Robespierre, St. Just und ihre Henker die Anklage der Diktatur und des Hochverrates. Während ein Tumult ausbricht, Hochrufe auf Danton und Drohungen gegen die Dezemvirn ertönen, werden die Gefangenen mit Gewalt hinausgeführt.

10. Szene (Platz vor dem Justizpalast)

Der Tumult aus dem Gerichtssaal setzt sich auf die Straße fort. Begeistert läßt ein Volkshaufe Danton hochleben. Ein Bürger spricht gegen die Schreckensherrschaft. Ein anderer aber verspricht dem Volke Brot, wenn Danton fällt. Die Stimmung wogt hin und her. Da hält der zweite Bürger dem Volke Dantons üppiges Leben vor. Er bringt die unsinnige Behauptung, der König und der Herzog von Orléans hätten Danton seinen Reichtum geschenkt und das Lasterleben ermöglicht. Er stellt ihm den tugendhaften Robespierre gegenüber. Sofort schlägt die Stimmung um. Der Pöbel jubelt Robespierre zu und verlangt Dantons Tod.

Vierter Akt

1. Szene (ein Zimmer)

Julie hat erkannt, daß Danton verloren ist. Seine Feinde zitterten vor ihm, sie werden ihn aus Furcht töten. Sie schickt einen Knaben mit einer Locke als letzten Gruß zu ihm und läßt ihm sagen, er würde nicht allein gehen.

2. Szene (eine Straße)

Der Präsident des Revolutionstribunals, Dumas, kommt im Gespräch mit einem Bürger. Dieser ist entsetzt darüber, daß nach einem solchen Verhör so viele Unschuldige zum Tode verurteilt wurden. Dumas belehrt ihn, daß die Revolutionsmänner einen besonderen Sinn haben, der anderen fehlt, und der niemals trügt. Dann erzählt er dem Bürger, daß das Revolutionstribunal mit Hilfe der Guillotine bald seine Ehe scheiden werde. Der Bürger nennt ihn ein Ungeheuer. Dumas erinnert an Brutus, aber der Bürger versteht ihn nicht.

3. Szene (die Conciergerie)

Am Abend vor der Hinrichtung tauschen die Gefangenen noch ihre kleinen Leiden aus. Danton und Camille denken an das bevorstehende Ende. Camille ist in Sorge um Lucile, er hat Angst, daß man auch an sie Hand legen wird. Er sinnt nach über die Sinnlosigkeit des Lebens, in seine wirren Gedanken mischen sich Träume von Lucile. Auch Danton spürt einen Augenblick das Grauen vor dem Sterben. In rührender Menschlichkeit aber zieht er sich von dem eingeschlafenen Camille zurück. Julies Nachricht hat er erhalten, sie wird ihn nicht allein gehen lassen. Nur hätte er anders, so ganz mühelos sterben mögen, wie ein Stern, der fällt. Die Sterne, die er durch das Fenster schimmern sieht, erscheinen ihm wie schimmernde Tränen, die um des Jammers der Welt willen geweint wurden. Da richtet sich Camille auf, er ist von Angst und Entsetzen geschüttelt. Er kann nicht mehr schlafen. Mit Youngs „Nachtgedanken" will er sich die Zeit vertreiben. Danton aber greift zu Voltaires „Pucelle" er „will" sich „aus dem Leben nicht wie aus dem Betstuhl, sondern wie aus dem Bett einer barmherzigen Schwester wegschleichen".

4. Szene (Platz vor der Conciergerie)

Zwei Fuhrleute mit ihren Karren fahren vor. Neugierige Weiber umringen sie. Sie unterhalten sich mit Witzen, plumpen Wortverdrehungen, derben Scherzen über die Gefangenen und Zoten. Sie geben einander Rätsel auf. Die Szene erinnert auffallend an die Totengräberszene in Shakespeares „Hamlet". Während die Fuhrleute mit den Weibern scherzen, tritt Lucile auf. Angst und Sorge haben sie in Wahnsinn gestürzt. Sie ruft nach Camille, den sie doch als Schreckbild sieht, sie singt den Anfang eines anstößigen Liedes. Sie will Camille locken, aber er kommt nicht. Sie erinnert sich vage, daß die Leute sagten, Camille müsse sterben. Ihre Gedanken verwirren sich. Sie glaubt, daß Camille vor ihr flieht, und eilt dem Phantom nach. Camille hat sie vom Fenster aus gesehen, vergeblich ruft er ihr nach.

5. Szene (die Conciergerie)

Der Morgen des Hinrichtungstages. Die Verurteilten beruhigen und trösten einander. Camille hat immer das Bild seiner wahnsinnigen Lucile vor Augen, er hofft, daß ihre Wahnvorstellungen wenigstens angenehme sind. Danton beklagt ironisch die Ver-

wirrung, in der er alles hinterläßt. Er möchte Robespierre seine
Huren vermachen. Lacroix ärgert sich im voraus über den Pöbel
der schreien wird: „Es lebe die Republik!" wenn sie vorüber-
gehen. Er ist auch wütend über die Heuchelei Robespierres der
noch zwei Tage vor der Verhaftung zu Camille freundlicher war,
als je. Danton aber erkennt angesichts des Todes, daß alle Un-
terschiede zwischen den Menschen nicht so groß sind, wie sie
scheinen. Alle sind „Schurken und Engel, Dummköpfe und Genies, und zwar das alles in einem". Nur der Zufall entscheidet
über den Ausgang. Es hat jetzt keinen Zweck mehr heroische
und geniale Grimassen zu schneiden, jeder kennt den anderen
doch und alle moralische und heroische Haltung ist nur Mittel
und Erhöhung des Selbstgefühls, verkehrtes Epikureertum. Philippeau will noch einmal die Gedanken auf das Jenseits richten,
er sieht hinter ihm eine ewige Harmonie. Danton aber antwortet: „Die Welt ist das Chaos. Das Nichts ist der zu gebärende
Weltgott." Der Schließer meldet, daß die Wagen vor der Türe
halten, die Verurteilten nehmen für immer Abschied.

6. Szene (ein Zimmer)

Julie hat aus der Bewegung in den Gassen entnommen, daß die
Hinrichtung ihres Gatten bevorsteht. Nun ist alles still, das Ver-
hängnis vollendet sich oder ist schon vollendet. Sie will ihn nicht
warten lassen und vergiftet sich. Wie ein verschwindendes
Traumgesicht von lichtem Sonnenglanz erlebt sie den Tod.

7. Szene (der Revolutionsplatz)

Die Wagen mit den Verurteilten kommen angefahren. Der Pöbel
tanzt die Carmagnole um die Guillotine, während die Gefangenen die Marseillaise anstimmen. Hysterische Weiber verhöh-
nen die Verurteilten, die ihnen an derber Abfuhr nichts schuldig
bleiben. Camille will als erster sterben, er nimmt den Tod als
Opfer. Lacroix prophezeit, daß das Volk, das heute den Verstand
verloren hat und sie tötet, bald den Verstand zurückgewinnen
und die Gegner töten wird. Die Tyrannen werden über den
Gräbern ihrer Mordopfer den Hals brechen. Philippeau verkündet allen seinen Feinden christliche Vergebung, was der
derbe Hérault sarkastisch kommentiert. Es folgt der letzte Abschied in diesem Leben.

8. Szene (eine Straße)

Lucile beginnt, trotz ihrer Wahnvorstellung etwas wie Ernst in den Berichten vom Sterben zu finden. Alles darf leben, jedes kleine Tier, aber ihr Camille nicht. Noch einmal bäumt sich ihr Gerechtigkeitsgefühl auf gegen die Erkenntnis, daß es keinen Ausweg mehr geben soll. Aber ihr Schrei verhallt ungehört. Weiber kommen vom Platz der Revolution und schwätzen gefühllos von der Hinrichtung. Die Verurteilten machten eine gute Figur auf der Guillotine, das Sterben ist zum Theater geworden. Die Weiber sind befriedigt: „Es ist recht gut, daß das Sterben jetzt so öffentlich ist."

9. Szene (der Revolutionsplatz)

Zwei Henker sind mit Aufräumungsarbeiten an der Guillotine beschäftigt. Einer von ihnen vergnügt sich mit einem unanständigen Lied, der andere drängt zur Eile. Singend gehen beide ab. Lucile kommt, sie hat endlich ihr Ziel gefunden. Auf dem Schoß des stillen Todesengels der Guillotine will sie ihren Camille suchen. Das Volkslied: „Es ist ein Schnitter" fällt ihr ein. Ein Bürger findet ihr Verhalten verdächtig und stört sie auf. Sie sinnt nach und faßt plötzlich einen Entschluß, indem sie ausruft: „Es lebe der König!" Die hinzukommende Wache nimmt sie „im Namen der Republik" fest.

ZU DEN CHARAKTEREN IN „DANTONS TOD"

In der Novelle „Lenz", in dem Kunstgespräch mit Oberlin und Kaufmann, gibt Büchner indirekt Äußerungen des Dichters wieder, die man auch als seine eigene Kunstanschauung ansehen darf: „Er sagte, die Dichter, von denen man sage, sie geben die Wirklichkeit, hätten auch keine Ahnung davon; doch seien sie immer noch erträglicher als die, welche die Wirklichkeit verklären wollten. Der liebe Gott habe die Welt wohl gemacht, wie sie sein soll, und sie können wohl nichts Besseres klecksen, unser einziges Bestreben soll sein, ihm ein wenig nachzuschaffen. Ich verlange in allem Leben, Möglichkeit des Daseins und dann ist's gut; wir haben dann nicht zu fragen, ob es schön, ob es häßlich ist. Das Gefühl, daß was geschaffen sei, Leben habe, steht über diesen beiden und sei das einzige Kriterium in Kunstsachen.

Übrigens begegne es uns nur selten, in Shakespeare finden wir
es, und in den Volksliedern tönt es einem ganz, in Goethe manchmal entgegen, alles übrige kann man ins Feuer werfen." Büchner
knüpft an Shakespeare an. Von hier aus erklärt sich, was Du-
vignaud „la réciprocité des grandeurs", die Umkehrbarkeit der
großen Persönlichkeiten, nennt (S. 66). Die Menschen stehen alle
unter dem gleichen „Fatalismus der Geschichte", sie folgen den
unbekannten Gesetzen einer unbekannten Gewalt, die Herrschaft
des Genies ist ein Puppenspiel (hier weist Büchner auf die
Rollenspieler [Homo soziologicus] hin); vergl. auch Heinrich von
Kleists „Marionetten-Aufsatz". Die übermächtige Politik bestimmt in „Dantons Tod" alle Charaktere. Die zahlreichen Gestalten sind differenziert und individuell gestaltet, aber sie stehen alle unter dem Gesetz der Revolution. Dieses ästhetisch-mo-
ralische Glaubensbekenntnis Büchners macht erst verständlich,
wie und weshalb Büchners Figuren so und nicht anders agieren
und reagieren können und müssen. Für ihn bedeutet das pul-
sierende Leben mit allen implizierten Antipoden mehr als nur
Dasein. Für ihn wird es zum Inbegriff der Kunst überhaupt.
Kunst, zumal Dichtung, hat sich dem vitalen Leben zu verpflich-
ten. Vor diesem Hintergrund erst werden die Figuren des Dramas verständlich, ihre Attitüden und Verhaltensweisen evident.
Die Männer der Revolution erscheinen blutig, unmoralisch, gott-
los, liederlich, manchmal energisch, manchmal schwach und
schwankend. Im Grunde sind sie alle in das Kollektivschicksal der
Revolution verflochten.

Der Kampf gilt dem Volke. Dieses Volk aber versteht überhaupt
nicht, um was es geht. Die Volksszenen bilden den wirksamen
Kontrast zu den Szenen der Revolutionshelden, sie erst lassen
ihre großen Ideen und Redensarten als gespenstische Unwirklich-
keit erscheinen. Der Dichter von „Dantons Tod" hatte die Erfahrung des Agitierens hinter sich. Die Botschaft des „Hessischen
Landboten(s)" blieb ungehört, bewegte nicht die Massen. Im Gegenteil: die Bauern lieferten verängstigt die Flugschrift bei der
Polizei ab. Büchners daraus resultierender tiefer Pessimismus,
eventuell auch ein Produkt seiner Jugendlichkeit, die schnelle
Erfolge wollte, ließ ihn die Machbarkeit der gesellschaftlichen
Veränderung suspekt erscheinen. In diesem Sinne ist Büchner
sicherlich kein Sozialist. Sein Sozialismus entspringt nicht der
Akribie der Gesellschaftsanalyse, sondern ist in diesem Sinne
unsachlich, gefühlsbetont, von unendlichem Mitleid gezeichnet.

Der Kampf gilt zwar dem Volke und wird für das Volk geführt. Die Volksszenen aber zeigen mit entlarvender Offenheit an, daß eine breite Lücke zwischen dem Bewußtsein der Führung und dem „kleinen Mann von der Straße" klafft. Er verharrt in der Lethargie der Aktion, ihm genügt, um zumindest psychologisch mit dem was geschehen war und ihn kein Jota weitergebracht hat, fertig zu werden, die Globalanklage „Der Adel ist an allem schuld", um von seinen existentiellen Engpässen abzulenken. Die Revolution hat sich verselbständigt, sie führt ein Eigenleben. Die Führung ist nicht mehr Herr der Lage. Aber die Geschichte des Sozialismus wäre unvollständig, wenn es ihn nicht gäbe, denn erst vom Menschlichen her wurde die sachliche Untersuchung sinnvoll. Büchner findet den Zugang zum Sozialismus von anderer Seite wie Marx. In „Dantons Tod" aber gilt es, die Revolution so darzustellen, wie sie war, da wird sie zu einer Katastrophe der Natur, zur Entfesselung der Triebe. Dafür ist die letzte Szene des dritten Aktes bezeichnend. Man ist versucht, in dem geschichtlichen Pessimismus, in der Überzeugung von der Sinnlosigkeit und Zufälligkeit der historischen Tat, eine Auswirkung der eigenen Enttäuschung Büchners über die Revolution seiner Tage zu sehen. Aber das geht an seiner künstlerischen Absicht vorbei.

Büchner ist nie von seinen revolutionären Anschauungen abgerückt, nur seine Meinung über den möglichen Termin dieser Revolution änderte sich. Der Titelheld von „Dantons Tod" läßt sich nicht mit dem Dichter identifizieren. Büchner ist gewiß nicht aus Langeweile und Blasiertheit in die revolutionären Bestrebungen verwickelt worden, nicht wie Hérault von Danton sagt: „Bloß zum Zeitvertreib, wie man Schach spielt". Dieses Wort trifft auch auf den historischen Danton nicht zu. Büchner zeigt ihn am Ende seiner Laufbahn von der Gesamtschau der Revolution und ihrer Ergebnisse her. Es ist manchmal fast schwierig, hinter diesem lebensüberdrüssigen, von der Erinnerung an die Septembermorde gehetzten, wie Macbeth oder Richard II. gegen Schatten der Vergangenheit ankämpfenden Danton den rücksichtslosen und anfeuernden Propagandisten und Helden der Revolution zu erkennen, der „Kühnheit, nochmals Kühnheit und abermals Kühnheit" forderte, und der zynisch, aber fest überzeugt von der geschichtlichen Notwendigkeit, über die Leichen seiner politischen Gegner hinwegschritt. Es ist falsch, Büchners Danton und den Dichter irgendwie gleichzusetzen. Das Drama ist nach dem Willen des Dichters keine Stellungnahme zu Wert oder Unwert der

Revolution, es ist neugeschaffene Wirklichkeit. Welche Verwirrung möglich war, zeigt die Deutung der Verteidigungsrede Dantons vor dem Revolutionstribunal von A. Möller van den Bruck: „Es ist, wie wenn Büchner an sich selbst dächte, wie eine ideale Präparation auf die Verteidigungsrede, die er selbst hielte, wenn er in die Hände der Polizei fiele: hoffnungslos verloren, doch mannhaft und fest." In Wirklichkeit ist es die wörtliche Wiedergabe der Rede, die Danton hielt. Büchner fand sie bei Thiers. Er war sicher auch nicht dumm genug, das Revolutionstribunal mit den elenden Knechtsnaturen und Opportunisten zu verwechseln, die damals in Hessen mit verbrecherischen Mitteln der Erpressung und Folter die Justiz für egoistische und ständische, längst überholte Interessen mißbrauchten. Es ist überhaupt irreführend, Danton allein als Mittelpunkt des Dramas zu sehen. Mit Recht nannte Büchner es „Dantons Tod", weil dieses Ereignis ein wesentlicher Punkt in der Revolution, nämlich der Anfang des Endes der Schreckensherrschaft ist. Dantons Schicksal ist von Beginn an entschieden, weil es nicht mehr Dantons, des bürgerlichen Revolutionärs, Angelegenheit ist. Er versinkt in Resignation und Hoffnungslosigkeit als er gewahr wird, daß die Revolution mit Erreichen der bürgerlichen Ziele, der Beseitigung des Adels und der Privilegierten nicht beendet ist. Den sich daraus ergebenden neuen Widersprüchen steht Danton unverständlich und ablehnend gegenüber (vergl. Georg Lukács). Dies bestimmt sein Verhalten. Die darüber hinausführende Idee und die dafür notwendigen politischen Kursänderungen determinieren das Agieren, die neuen Verhaltenserfordernisse auch der übrigen Gestalten um Danton. Dadurch wird die Geschichte zum Fatalismus. Jeder hat seine Rolle bis zu einem gewissen Punkt gespielt, jetzt ist für ihn kein Platz mehr im Drehbuch. Es gibt deshalb keine Entwicklung, keine Steigerung und Höhepunkte wie im klassischen Drama. Büchner folgt der lockeren Historientechnik Shakespeares, er geht dabei noch über das historische Drama der wirklichen Revolution hinaus, das sich spannender liest als dieses Drama, wenn man nur die Handlung berücksichtigt. Er schreibt das Drama der völligen Vereinsamung, der absoluten Isolierung der historischen Persönlichkeit. Darin unterscheidet sich Danton von seinen Freunden, die ebenso wie er von der Revolution geformt wurden, der weichere, gefühlvolle Camille, der kluge, aber selbst nicht zum Handeln geschaffene Lacroix, der derbe Hérault, der im Grunde fromme Philippeau, der vorlaute, eigentlich ängstliche, nur wichtigtuerische Legendre. Sie lassen sich alle mehr oder weniger vom Strome der Ereignisse treiben, sie sind Objekte der Gelegenheiten, die sie zu erfassen und nach ihrem Willen zu formen streben. Danton allein weiß, daß die Revolution zu Ende und verspielt ist. Nun gibt es nur noch sinn- und zwecklosen Mord. Das unterscheidet Büchners Gestalt grundlegend vom historischen Danton, der bis zum Ende kämpft aus der Überzeugung seiner Sendung heraus. Er wollte einen Kompromiß zwischen den bürgerlichen Kräften und den Jakobinern, zwischen Liberalismus und Sozialismus ohne zu erkennen, daß diese widerstrebenden Elemente einander völlig fremd bleiben. Er verkannte, daß zwar die herrschende Klasse von einst beseitigt war, daß aber längst eine neue aufgekommen war aus denen, die sich an den eingezogenen Gütern der Kirche und Aristokraten bereichert hatten, daß die Macht des Geldsackes nicht geringer war als einst die des Geburtsadels. Ein Klassenkompromiß war unmöglich, er konnte nur zur Herrschaft einer neuen besitzenden Klasse führen. Das erkannte der historische Robespierre. Diese Dinge sind im Drama nur gelegentlich erwähnt. Während sich der historische Danton stolz seiner revolutionären Taten rühmt, sind sie für Büchner ein Anlaß zu Zweifeln innerer Unsicherheit, die in Verzweiflung und Nihilismus enden. „Der Mann am Kreuze hat sich's bequem gemacht: es muß ja Ärgernis kommen, doch wehe dem durch welchen es kommt! Es muß; das war dies Muß! Wer will der Hand fluchen, auf die der Fluch des Muß gefallen? Wer hat das Muß gesprochen, wer? Was ist das, was in uns lügt, hurt, stiehlt und mordet? Puppen sind wir, von unbekannter Gewalt am Draht gezogen: nichts, nichts wir selbst." (II. 6)

Hier setzt die „Umkehrung der großen Persönlichkeiten" ein. Robespierre steht unter dem gleichen Zwang, auch er ist nicht nur „empfindsam" geworden er ist völlig einsam. „Wahrlich, der Menschensohn wird in uns allen gekreuzigt, wir ringen alle im Gethsemanegarten im blutigen Schweiß, aber keiner erlöst den anderen mit seinen Wunden. Mein Camille! Sie gehen alle von mir, es ist alles wüst und leer, ich bin allein!". Damit ist auch Robespierres Handeln und Ende unter den Fatalismus der Geschichte gestellt. Büchner sieht richtig, daß auch er sich nur hinter der Fassade der Tugend versteckt, daß er nicht mehr um der Ideale willen sondern aus dem Zwang der Angst handelt. Er kann die entscheidende Frage nicht lösen, dem Volke kein Brot geben. Da gibt er ihm Spiele, er macht die Guillotine zum Zirkus, die blutigen Kämpfe werden zu Gladiatorenspielen. Er ist weniger intelligent als Danton. Aus Rousseau hat er sich eine blutleere Römertugend erlesen, er lebt in einer Welt der Abstraktionen. Danton füttert das Volk mit seiner eigenen Herrlichkeit, mit dem Bericht seiner Taten. Robespierre gibt ihm leere Phrasen, die nur schön tönen, aber keine Frucht enthalten. Auch der dickste Flegel kann aus tauben Nesseln kein Brotgetreide klopfen, und das gerade muß Robespierre, wenn er überleben will. Wie er, so spielt auch der aus härterem und gemeinerem Material geschaffene St. Just nur seine Rolle. Sie alle, die öffentlichen Ankläger und Vorsitzenden des Tribunals sind Kutscher auf dem Wagen, der eine steile, abschüssige Straße fährt, und der nur an der Guillotine haltmachen wird. Sie setzten sich in Positur, aber sie stehen doch unter unwiderstehlichem Zwang. „Ist nicht unser Wachen ein hellerer Traum, sind wir nicht Nachtwandler? Ist nicht unser Handeln wie im Traum, nur deutlicher, bestimmter, durchgeführter?" fragt Robespierre (I, 6) Gerade St. Just aber ist um der dramatischen Konzeption Büchners willen am wesentlichsten verändert. Seine Rede im Konvent bringt zwar historische Worte, kehrt ihre Tendenz aber um. Nach Büchner stellt er die Beseitigung der Feinde als Naturgesetzlichkeit dar. In Wirklichkeit schloß die Rede, in der St. Just Dantons Tod forderte, weil er sich der Revolution widersetzte, sich ihrer Vollendung in den Weg stellte, vor ihrer Geschichte objektiv unrecht hatte: „Alle diejenigen die seit vier Jahren konspirieren, nehmen heute den Schleier des Patriotismus. Heute wiederholen sie die Worte Vergniauds: Die Revolution ist wie Saturn, sie verschlingt alle ihre Kinder. Hébert hat diese Worte während seines Prozesses auch wiederholt. Diese Worte werden von allen wiederholt, die da zittern. Nein, die Republik wird ihre Kinder nicht verschlingen, aber sie wird es mit ihren Feinden tun, ganz gleich welche Maske sie anlegen." Büchner formt seine Charaktere also nicht nach der Wirklichkeit des Geschehens, er geht von einer höheren Wirklichkeit aus, die den Überblick über Geschehen und Ergebnisse ermöglicht. Nur von dort her ist seine pessimistische Einstellung zur französischen Revolution zu verstehen, nur von dort her gewinnen ihre Gestalten das eigenartig schwebende Leben, das sie im Marionettensymbol erfaßbar macht. Man hat „Dantons Tod" die Tragödie des Determinismus genannt. Büchner hat mit der

Erkenntnis dieser Determiniertheit der Geschichte hart gerungen. Diese Haltung aber stellt ihn außerhalb der Zeit, entfernt ihn unendlich weit von der Romantik wie vom Idealismus. Der Weg zum „Woyzeck" ist beschritten, von der Geschichte mußte er zur gequälten, einsamen Kreatur führen.

QUELLEN UND ENTSTEHUNG DES „WOYZECK"

Am 21. Juni 1821 erstach der 41jährige Friseur Johann Christian Woyzeck in Leipzig aus Eifersucht seine 46jährige Geliebte, die Witwe eines Chirurgen, die Woostin, die selbst in schlechtem Ruf stand und sich mit Soldaten der Stadtwache herumgetrieben hatte. Als Mordwaffe diente eine abgebrochene Degenklinge. für die sich Woyzeck einen Griff hatte machen lassen. Die Woostin hatte Woyzeck seit längerer Zeit abgewiesen, er war ihr zu abgerissen und heruntergekommen, trank ihr auch zu oft. Woyzeck war eine unstete Natur. Zwölf Jahre war er in sächsischen Kriegsdiensten gewesen. 1810 wollte er die Wienbergerin heiraten, mit der er ein Kind hatte. Seine Offiziere wollten ihm auch den Trauschein beschaffen. Da erfuhr Woyzeck, daß sie sich mit anderen Soldaten eingelassen hatte, ließ sie sitzen und begann ein ruheloses Wanderleben. 1819 lernte er in Leipzig die Witwe Woost kennen, die Stieftochter seiner Quartiergeberin. Aber es gab Streit. Woyzeck verfolgte die Frau, die ihre Verwandten zu Hilfe rief, worauf Woyzeck das Quartier verlassen mußte. Er versuchte erneut sich ihr zu nähern, wurde von Nebenbuhlern verprügelt und wegen seiner Armut verspottet, bis er schließlich die Frau in einer Streitszene erstach. Ohne große Mühe wurde er festgenommen. Der Hofrat Clarus mußte ein psychologisches Gutachten anfertigen Er kam zu dem Ergebnis, daß Woyzeck „viel moralische Verwilderung, Abstumpfung gegen natürliche Gefühle und wahre Gleichgültigkeit in Rücksicht auf Gegenwart und Zukunft auch Mangel an äußerer und innerer Haltung" zeige, aber voll zurechnungsfähig" sei. Für jene Zeit ist diese typische Reduktion aller Werte auf die bürgerliche Weltordnung charakteristisch. Es kann kein Zweifel bestehen, daß Woyzeck an Sinnestäuschungen und Zwangsvorstellungen litt. Das erkannte mancher auch schon damals,

Ein gelehrter Streit um den Fall Woyzeck brach aus, der jahrelang in Fachschriften ausgetragen wurde. Schließlich siegte wieder die Besorgnis um bürgerliche Sicherheit, die sich gern des
Terrors, den man schämig Abschreckung nannte, für ihre
Zwecke bediente. Clarus verlangte die Verurteilung Woyzecks
zur Abschreckung, um zu zeigen, wohin „Arbeitsscheu, Spiel,
Trunksucht, ungesetzmäßige Betätigung der Geschlechtslust und
schlechte Gesellschaft" führen müssen. Am 27. August 1824 wurde
Woyzeck öffentlich hingerichtet. Der Leipziger Pöbel ließ sich
die 30 Jahre entbehrte Sensation einer Hinrichtung nicht ent-
gehen, er machte eine Art Volksfest daraus. Die Gutachten und
Gegengutachten zum Fall Woyzeck wurden in der „Zeitschrift
für Staatsarzneikunde" veröffentlicht. Büchners Vater war selbst
Mitarbeiter dieser Zeitschrift, so war sie dem Sohne sicher leicht
zugänglich. Der Fall Woyzeck war mit der Hinrichtung nicht
erledigt. Die Auseinandersetzung ging noch jahrelang weiter.
Bei anderen Kriminalfällen wurde er als Beispiel eines Fehl-
urteils, ja eines Justizmordes zitiert, und auch in Büchners
Studienzeit war er unvergessen, um so weniger, als man durch
die Justiz gegen die Revolutionäre jener Zeit zum Nachdenken
über die Grenzen zwischen Terror und Recht angeregt wurde.
Das machte den Fall Woyzeck, einen der doch recht häufigen
Morde aus Eifersucht, zum Prüfstein rechtlichen Denkens. Aber
die Frage, wieweit ein Verbrecher für seine Taten verantwort-
lich gemacht werden kann oder nicht, hat offenbar Büchner bei
seinem Werk überhaupt nicht interessiert. Die juristische und
gerichtsmedizinische Seite des Falles bleibt völlig unberück-
sichtigt. Es geht Büchner um das viel grundlegendere Problem,
um die soziale Ordnung, die hier gestört ist und solche Morde
fördern muß.

Man hat weitere Kriminalfälle als mögliche Quellen Büchners
herangezogen, und es ist durchaus möglich, daß er einzelne Züge
aus ihnen entnommen hat, wenn es auch zu weit führt, für jede
Geste und jedes Wort nach einer Quelle zu suchen. Im Falle
des Gardisten Jünger hatte Büchners Vater als Gutachter mit-
gewirkt. Dieser hatte gegen einen Vorgesetzten, der ihn weckte,
die Waffe gezogen. Das Gutachten wies nach, daß er in „Schlaf-
trunkenheit" gehandelt hatte, dadurch wurde er gerettet. Ähn-
licher dem Fall Woyzeck ist der des Leinewebers Dieß aus einem
Dorf bei Frankfurt, der seine Geliebte ermordet hatte. Sein
Advokat wies nach, daß er die Tat erst beging, als seine Geliebte,

die ein Kind von ihm hatte, sich weigerte, mit ihm zum Pfarrer zu gehen und sich trauen zu lassen. In diesem Falle wird der Mord mit einem Messer ausgeführt, das unter ähnlichen Umständen, wie Büchner sie darstellt, beschafft wurde. Auch andere Kriminalfälle, die Büchner in der Zeitschrift fand, mögen zum „Woyzeck" mitangeregt haben.

Büchner wählt den Namen Woyzeck für sein Drama, er kennt die Geschichte des Leipziger Friseurs genau. Manche Züge, die im Prozeß hervorgehoben werden, die Angst Woyzecks vor den Freimaurern, die feurigen Gesichte und die Stimmen, die ihn bedrohen, finden sich auch im Stück. Aber Büchner hat den Stoff ins hessische Milieu übertragen, seine Gestalten sprechen hessischen Dialekt. Der Doktor läßt Woyzeck vor den Studenten mit den Ohren wackeln wie der Gießener Anatom Wilbrandt, ein Original, seinen Sohn. Vor allem vereinfacht Büchner die Handlung. Sein Woyzeck ist etwa 30 Jahre alt, arbeitsam und treu, sein Fehler ist, daß er arm und scheu ist. Die zweite Geliebte fehlt. Marie ist im Grunde kein verworfenes Geschöpf, sie ist treu und ergeben, aber lebenshungrig, heißblütig und ohnmächtig gegen die Natur. „Es liegt in niemands Gewalt, kein Dummkopf oder kein Verbrecher zu sein", hatte Büchner aus Gießen an die Eltern geschrieben. Alles konzentriert sich auf den Einfluß von Umwelt und sozialem Stand. Die Antwort des Psychiaters Woyzeck habe im Wahnsinn gehandelt, konnte schon deshalb nicht genügen, weil sie die neue Frage aufwarf, was Woyzeck in diesen Wahnsinn getrieben hatte. Um die Wirklichkeit geht es Büchner, um die tatsächliche Umsetzbarkeit ins Leben. Da ergibt sich als Ursache die Bindung an gesellschaftliche Zustände, aus denen sich der einzelne nicht lösen kann. Die Ordnung dieser Welt ist die des besitzenden bürgerlichen Menschen. In ihr ist eigentlich kein Platz für den armen Proletarier, der deshalb gehetzt und gequält wird. Er kann mit der Moral nichts anfangen, weil ihm die Grundlagen dieser Moral, die bürgerlichen Sicherheiten fehlen. „Ja, Herr Hauptmann, die Tugend, ich hab's noch nicht so raus. Sehn Sie, wir gemeine Leut, das hat keine Tugend, es kommt einem nur so die Natur, aber wenn ich ein Herr wäre und hätte einen Hut und eine Uhr und eine Anglaise und könnt vornehm reden, ich wollt schon tugendhaft sein. Es muß was Schönes sein um die Tugend, Herr Hauptmann, aber ich bin ein armer Kerl." An anderer Stelle heißt es: „Wir arme Leut — Sehn Sie, Herr Hauptmann, Geld,

Geld! Wer kein Geld hat — Da setz einmal eines seinesgleichen auf die Moral in die Welt. Man hat auch sein Fleisch und Blut. Unsereins ist doch einmal unselig in der und der andern Welt. Ich glaube, wenn wir in Himmel kämen, so müßten wir donnern helfen." Der Hauptmann aber weiß nur die Antwort: „Du bist ein guter Mensch, ein guter Mensch. Aber du denkst zu viel, das zehrt, du siehst immer so verhetzt aus." Und damit bestätigt er Woyzecks Worte aus seiner bürgerlichen Geborgenheit.

Die Quellen ergeben keinen Anhaltspunkt dafür, wann die Aufzeichnungen zu „Woyzeck" entstanden sind. Das Schicksal Woyzecks mag Büchner schon in Gießen oder spätestens in Darmstadt beschäftigt haben. Wahrscheinlich hat er während des zweiten Straßburger Aufenthaltes die Niederschrift begonnen und sie in Zürich fortgesetzt. Sein früher Tod hinderte die Vollendung, manches blieb skizzenhaft, das Werk unvollendet. Wir wissen nicht, wie sich Büchner den Schluß dachte, die Bearbeitungen sind alle mehr oder weniger problematisch. Aber es bleibt auch angesichts des Fragmentes die Erkenntnis Gundolfs, daß kein zweiter deutscher Dichter etwas ursprünglicher „Geniales" geschaffen hat als den „Woyzeck".

ZUR AUFNAHME DES „WOYZECK"

Die Manuskripte des „Woyzeck" kamen mit Büchners Nachlaß an seine Familie. Schon 1838 plante Gutzkow eine Ausgabe der nachgelassenen Schriften, aber sie kam wegen Honorarstreitigkeiten mit der Familie Büchner nicht zustande. Die Entzifferung der schwer leserlichen Handschrift Büchners machte überdies die größten Schwierigkeiten. 1850 gab der Bruder Ludwig die „Gesammelten Werke" heraus. Aber er verzichtete auf den „Woyzeck", weil er ihn nicht entziffern konnte. Vielleicht besorgte die Familie auch, daß dieses Werk mit seinen damals unerhörten Derbheiten allzu viel unliebsames Aufsehen erregen, die bürgerliche Gesellschaft zu sehr schockieren würde. 1875 kamen dann die Handschriften an Karl Emil Franzos, der sie mit mehr Mühe als Geschick entzifferte. 1879 wurde zum ersten Male der „Woyzeck" herausgegeben und erregte großes Aufsehen in Fachkreisen. Es war aber eine unkritische und sehr freie Ausgabe. Selbst den Namen hatte Franzos als Wozzeck verlesen. Vieles, was er nicht entziffern konnte, hatte er frei hinzugedichtet, vieles andere bearbeitet, umgestellt und ergänzt. Bis 1920 aber blieb seine Ausgabe maßgeblich. Sie liegt auch noch der Oper „Wozzeck" von Alban Berg, einem romantische und impressionistische Elemente mit expressionistischen mischendem Werk, zugrunde. 1926 wurde die Oper in Berlin mit großem Erfolg uraufgeführt, sie hat wesentlich dazu beigetragen, die Aufmerksamkeit auf die Dichtung zu lenken. Sie war inzwischen auch von der Schauspielbühne entdeckt worden. Am 8. November 1913 war das Drama im Münchener Residenztheater unter der Regie von Eugen Kilian zum erstenmal in einer Bühnenbearbeitung von Rudolf Franz gespielt worden. Die Dichter des Expressionismus, wie Frank Wedekind, Georg Kaiser und Bert Brecht, hatten staunend in ihm ihren großen Vorläufer erkannt. 1918 erwarb der Insel-Verlag den gesamten Nachlaß Büchners von seinen Erben. Nun begann das kritische Bemühen um die Textgestaltung. Georg Witkowski entzifferte die Handschrift von neuem. Die heute maßgebliche Ausgabe brachte Fritz Bergemann 1922 im Insel-Verlag heraus, sie erschien 1949 in 4. Auflage. Vor allem die Anordnung der Szenen, die er vornahm, gilt allgemein als die sinnvollste und der Bühne gerechteste. Seine Ausgabe liegt auch der Volksausgabe, die der Wilhelm Goldmann Verlag in München 1956 veranstaltete, zugrunde. Der „Woyzeck" gehört heute zum festen Bestand des deutschen Theaters. Vor allem durch die Tätigkeit emigrierter Dichter und Theaterleute nach 1933 ging das Werk auch in die Weltliteratur ein. Schon 1946 wurde „Woyzeck" wieder in Paris gespielt. Auch der Film hat sich des Stoffes bemächtigt.

SACHLICHE UND SPRACHLICHE ERLÄUTERUNGEN ZU „WOYZECK"

Die Szeneneinteilung folgt der Reclam-Ausgabe, die Bergemanns Anordnung übernimmt.

1. Szene (Zimmer)

so verhetzt: gehetzt.

„den Effekt wie eine Maus": wenn er eine Maus sieht, läuft es ihm kalt den Rücken herunter.

Anglaise: Woyzeck meint wohl eine Pélerine à l'Anglaise, ein modisches Kleidungsstück der Biedermeierzeit, eine Art Cape, das aus England kam.

3. Szene (die Stadt)

honett: ehrenwert, ehrenhaft.
zum Verles': zum Appell.
auf die Meß: zur Kirmes.

4. Szene (beim Doktor)

musculus constrictor vesicae: der Schließmuskel.
Erbsen, cruciferae: der Doktor will den lateinischen Namen sagen, nennt ihn aber falsch, er hieße Pisum sativum.
Harnstoff usw.: die angebliche Urin-Analyse des Mannes, der sich nur von Erbsen ernährte, Hyperoxydul ist Unsinn, da Oxydul ein Oxyd niedrigerer Wertstufe bei Elementen von verschiedenen Wertigkeitsstufen ist.
den Akkord: den Vertrag. Für drei Groschen täglich und Kost hat sich Woyzeck verpflichtet, eine Zeitlang nur Erbsen zu essen. Ähnliche Ernährungsversuche mit haltbarer Kost sind tatsächlich bei der Truppe durchgeführt worden. Graf Benjamin von Rumfort erfand dabei seine berühmte Suppe, die nur aus haltbaren oder leicht und überall erhältlichen Bestandteilen besteht und die marschierende Truppe vom Verpflegungsnachschub oder von der Versorgung aus besetztem Gebiet weitgehend unabhängig machte.
Proteus: der Doktor meint wohl eine Eidechsenart, die er an Wert über den Menschen stellt. Der Name kommt sonst nicht vor.
Aberratio: mentalis partialis eine teilweise Geistesverwirrung
Menage: Verpflegung. Der Soldat, der auf Kasernenverpflegung verzichtete, erhielt eine Abfindung in Geld.

5. Szene (Jahrmarkt)

Kanaillevögel: entstellt aus Kanarienvögel, nach frz. Canaille = Schurke.
Repräsentationen: die Vorstellung, die Vorführungen.
Commencement: Anfang.
Was Licht!: wie viel Licht! Wie hell es ist!
Sozietät: Gesellschaft.
Viehsionomik: entstellt aus Physiognomik.
explizieren: erklären.

7. Szene (Hof des Doktors)

Bathseba: die Frau des Hethiters Uria, die David verführte und später heiratete. Die Mutter Salomons.

culs de Paris: Mode des Biedermeier, Rest der Krinoline, Kissen zur Verstärkung der rückwärtigen Front.

„die organische Selbstaffirmation des Göttlichen": der Beweis Gottes aus der organischen Welt.

centrum gravitationis: Mittelpunkt der Erdschwere.

Hasenlaus: in anderen Fassungen: Hühnerlaus. Pelzfressendes Ungeziefer.

9. Szene (Straße)

pressiert: eilig.

apoplektische Konstitution: zum Schlaganfall neigende körperliche Verfassung. Apoplexia cerebri = Gehirnschlag.

mit den Zitronen in den Händen: wer einen Toten besuchte, nahm eine Zitrone mit, um den Leichengeruch zu mildern und um sich vor Ansteckung zu schützen, also als Desinfektionsmittel.

„ich kann auch ...": ergänze: witzig sein.

Plinius: römischer Schriftsteller (23—79 n. Chr.). Er schrieb eine Naturalis historia, eine Naturgeschichte. Hier ist seine Erwähnung nur hohles Bildungsprotzentum.

Sapeur: Sappeur, von Sappe, Laufgraben. Ein Pionier, der solche Gräben auf die feindlichen Linien zu baut.

10. Szene (Maries Kammer)

hirnwütig: mundartlich für wahnsinnig.

„es müßte was an dir sein!": man müßte es dir ansehen, wenn du untreu gewesen wärest.

11. Szene (Wachtstube)

„Wegen dem Mensch?": verächtliche Bezeichnung für Frauenzimmer.

12. Szene (Wirtshaus)

Weißbinder: Handschuhmacher, nach Weißleder, Glacéleder.

13. Szene (freies Feld)

die Zickwolfin: Wölfin, die Junge führt, also besonders gefährlich ist.

18. und 19. Szene (Trödlerladen, Kaserne)

„einen ökonomischen Tod": einen billigen Tod.

Kamisolchen: kurzes Wams.

20. Szene (Straße)

„wie der Neuntöter": der Rotrückenwürger, ein Singvogel. Bei

Nahrungsüberfluß spießt er die Beute auf Dornen, um später vom **Vorrat** zu zehren.

Hafen: mundartlich für Topf.

23. Szene (Wirtshaus)

Landkutscher: Mietkutscher, der nur Charter-, keine Linienfahrten macht.

24. Szene (Waldweg am Teich)

„rote Schnur um den Hals": eigentlich die Wunde, die der Scharfrichter bei der Enthauptung macht. Woyzeck fühlt sich als Vollstrecker eines gerechten Urteils. „Du warst schwarz", die Sünde machte Marie schwarz, er hat sie „gebleicht", d. h. an ihr die Strafe vollzogen und sie ihr Vergehen sühnen gemacht.

25. Szene (Straße)

„Links über die Loh...": Loh ist mundartlich für Lichtung. Sonst in Ortsnamen wie Gütersloh.

DIE HANDLUNG DES „WOYZECK"

1. Szene (Zimmer)

Der **Offiziersbursche** Woyzeck rasiert seinen Hauptmann. Dem geht es zu schnell, wie alles, was Woyzeck tut. Er weiß nicht, was er mit der Zeit anfangen soll, die ihm beim Rasieren erspart wird, er hat überhaupt Angst vor dem viel zu schnellen Gang der Zeit. Woyzeck bleibt einsilbig. Das macht den Hauptmann nervös. Er foppt ihn mit seiner Dummheit und kommt dann auf sein Lieblingsthema, die Moral. Woyzeck ist immer so verhetzt. Er ist ein guter Mensch, aber er hat keine Moral. Er hat ein Kind ohne Segen der Kirche. Woyzeck tröstet sich mit dem Heilandswort: Lasset die Kleinen zu mir kommen! Er ist ein armer Mann, und die armen Leute haben weder Geld noch Zeit für die Tugend, wenn diese sicher auch etwas Schönes ist.

2. Szene (freies Feld

Vor der Stadt in einem Gebüsch schneiden Woyzeck und sein Kamerad Andres Stecken für den Hauptmann. Woyzeck erzählt eine Spukgeschichte. Er bekennt Andres seine Angst vor den Freimaurern, die alles verzaubern. Andres wird von der Furcht angesteckt und will sie mit einem Lied vertreiben. Als aber Woyzeck Feuer am Himmel zu sehen glaubt und die Posaune des Gerichts hört, packt auch ihn die Angst, beide verstecken sich im Gebüsch. Doch alles bleibt ruhig. Die Trommel von der Stadt ruft sie heim.

3. Szene (die Stadt)

Marie sitzt am offenen Fenster und hält ihr Kind auf dem Schoß. Vor dem Fenster steht die Nachbarin Margret und plaudert mit ihr. Der Zapfenstreich zieht vorbei, die beiden unterhalten sich über den stattlichen Tambourmajor, dessen Gruß Marie nach Margrets Meinung allzu freundlich erwidert. Darüber geraten die beiden in Streit und Margret wirft Marie vor, versessen auf Männer zu sein. Beleidigt schlägt diese nun das Fenster zu. Dann aber redet sie ihrem Kind gut zu und singt ihm ein Schlummerlied. Woyzeck, der durch den Zapfenstreich zurückgerufen wurde, klopft ans Fenster. Marie fällt auf, daß er verstört ist. Geheimnisvoll berichtet Woyzeck nun von einem Gesicht, das er angeblich hatte, das auf wirren Vorstellungen von der Geheimen Offenbarung des Johannes (9, 2) beruht. Er lädt Marie dann auf den Abend zur Kirmes ein und eilt fort. Marie ist von seiner Angst angesteckt, sie geht ins Freie, um Ruhe zu finden.

4. Szene (beim Doktor)

Es ist die letzte Szene des Teiles im Drama, den man als Exposition auffassen kann. Der Doktor benutzt Woyzeck als Faktotum und Versuchskaninchen. Zunächst muß er eine Strafpredigt einstecken, weil er die Vorschriften des Doktors nicht genau einhielt und ihm den Urin nicht für die Analyse aufhob. Seit längerer Zeit lebt er nur von Erbsen, weil der Doktor die Auswirkung einer solchen Ernährung erproben will. Als der Doktor sich beruhigt, erzählt ihm Woyzeck von seinen Visionen. Der Doktor, der alles natürlich erklärt, stellt eine beginnende geistige Verwirrung fest. Sie macht Woyzeck zu einem noch interessanteren Objekt für ihn, er bewilligt ihm eine Zulage. Dann beginnt er die Untersuchung.

5. Szene (Buden, Lichter, Volk)

Woyzeck hat Marie auf die Kirmes geführt. Ein Leierkastenmann singt von der Vergänglichkeit des Menschen. Woyzeck gibt dazu wirre Anmerkungen von den Leiden aller Menschen, die Marie nicht versteht und für Narrheit erklärt. Ein Marktschreier führt einen als Soldat kostümierten Affen vor. Die

Kreatur ist nichts so verkündet er, Kunst ist alles: „Der Aff„
ist Soldat; 's ist noch nicht viel, unterste Stufe von menschliche
Geschlecht." Ein anderes Kostüm aber macht ihn zum Baron.
Dann kündigt er das „astronomische Pferd und die kleine
Kanaillevögel" an. Marie möchte das sehen, sie gehen in die
Bude. In diesem Augenblick beobachtet sie der Tambourmajor,
der mit einem Unteroffizier kommt. Beide bewundern sie höchst
eindeutig und folgen. In der Bude staunt Marie über die vielen
Lichter, die Woyzeck nach seiner Veranlagung als schwarze
Katzen mit feurigen Augen erklärt. Das dressierte Pferd wird
vorgeführt, um seine „viehische Vernünftigkeit" zu zeigen. In
grotesken Wendungen und Verdrehungen werden Vieh und
Mensch viehdummes Individuum und individuelles Vieh parallel
gesetzt. Vernunft wird zur Verbildung der Natur, die Natur vor
vernünftiger Verbildung nicht mehr gesehen. Schließlich verlangt der Budenbesitzer eine Uhr, da das Pferd die Zeit ablesen
soll. Der Unteroffizier leiht großspurig seine Uhr her. Marie
die vor Neugier glüht, sucht in der vordersten Reihe Platz.
Diese Gelegenheit benützen Tambourmajor und Unteroffizier,
sich ihr zu nähern.

6. Szene (Maries Kammer)

Der Tambourmajor besucht Marie. Beide haben sich gefunden
und sind stolz aufeinander. Der Tambourmajor prahlt mit seinem ganzen Glanz in der sonntäglichen Montur. Marie lockt
ihn durch spöttische Zweifel an seinem Mannestum. Der Tambourmajor faßt zu, Marie reizt seine Begehrlichkeit noch mehr
durch verstellten Widerstand, bis sie endlich nachgibt: „Meinetwegen. Es ist alles eins."

7. Szene (der Hof des Doktors)

Der Doktor hält den Studenten, die im Hof stehen, eine Vorlesung über seine Naturphilosophie. Er will als Beweis der göttlichen Weltordnung die Schwerkraft vorführen, indem er eine
Katze aus dem Dachfenster in den Hof wirft. Woyzeck verdirbt
den Versuch, indem er die Katze auffängt. Der Doktor ist unge-
halten, wird aber gleich wieder vergnügt, als Woyzeck erklärt
er habe das Zittern und ihm werde dunkel vor den Augen. Er
vergißt zunächst alles, als er auf der Katze Hasenläuse zu ent-
decken glaubt. Dann führt er sein Versuchsobjekt Woyzeck vor
und zeigt die Folgen der einseitigen Ernährung durch Erbsen
und die Funktion der Ohrmuskeln.

8. Szene (Maries Kammer)

Marie sitzt mit dem Kind auf dem Schoß und besieht ihr Bild in einem Stückchen Spiegel. Sie bewundert noch den Tambourmajor, den Woyzeck einfach wegschickte. Stolz ist sie auf die glänzenden Ohrringe, die ihr der Tambourmajor schenkte. Sie sieht im Spiegel, daß sie genau so schön ist, wie die vornehmen Damen mit ihren großen Spiegeln und ihren Herren, die ihnen die Hände küssen. Sie ist aber arm. Das Kind wird unruhig, sie beschwichtigt es. Als Woyzeck unvermutet eintritt, erschrickt sie und verdeckt unwillkürlich die Ohrringe. Aber er hat sie gesehen und wird mißtrauisch, kann sich auch nicht gleich zufriedengeben, als sie erzählt, sie habe sie gefunden. Dann aber wendet er sich in rührender Sorge dem Kinde zu, gibt ihr Geld und geht wieder fort. Marie wird angesichts dieser Fürsorge von erster Reue über ihre Untreue gepackt. Aber das Liebeserleben ist noch zu stark, sie wirft die Bedenken hinter sich: „Geht doch alles zum Teufel. Mann und Weib!"

9. Szene (Straße)

Der Hauptmann trifft den Doktor auf der Straße und froh darüber, wieder einige Zeit verplaudern zu können, hält er ihn auf und erzählt ihm von seinen melancholischen Anwandlungen. Der Doktor stellt ihm eine höchst unerfreuliche Diagnose und kündigt ihm einen Schlaganfall an. Der Hauptmann aber tröstet sich mit dem Gedanken, daß man an seiner Bahre sagen wird: „Er war ein guter Mensch." Dann reißen die beiden einige fade Witze miteinander, als der Hauptmann Woyzeck vorübereilen sieht. Aus Bosheit oder reiner Freude am Klatsch macht er ihn darauf aufmerksam, daß Marie ihn mit dem Tambourmajor betrügt. Die Wirkung ist erschreckend, der Doktor beobachtet sie ganz sachlich. Woyzeck erklärt, daß er sonst nichts auf der Welt hat. Er ist nicht sicher, ob der Hauptmann nicht Spaß mit ihm machte, aber die Eifersucht wühlt in ihm. Er stürmt davon, der Doktor eilt ihm nach, um das interessante Objekt weiter zu beobachten. Der Hauptmann aber findet, daß man sein Leben lieb haben müsse und nicht eilen dürfe: „Ein guter Mensch hat keine Courage nicht. Ein Hundsfott hat Courage!"

10. Szene (Maries Kammer)

Woyzeck ist bei Marie. Er findet keine Anzeichen ihrer Untreue. Marie ist zuerst verschüchtert, aber als sie merkt, daß Woyzeck nichts Sicheres weiß, leugnet sie trotzig. Da wirft Woyzeck ein: „Ich hab ihn gesehn!" Marie aber spottet: „Man kann viel sehn, wenn man zwei Augen hat und nicht blind ist und die Sonn scheint." Woyzeck fährt auf: „Mensch!" Marie aber erhebt sich gegen ihn und warnt ihn, sie anzurühren. Woyzeck hält sich zurück, aber die Zweifel bleiben.

11. Szene (die Wachtstube)

Andres und Woyzeck sitzen in der Wachtstube, Andres singt gedankenlos vor sich hin. Sie unterhalten sich über das schöne Sonntagswetter und Andres erwähnt, daß es vor der Stadt Musik und Tanz gibt. Woyzeck läßt es keine Ruhe mehr, er denkt daran, daß er vielleicht Marie und den Tambourmajor beim Tanz treffen könne. Voll Unruhe läuft er hinaus.

12. Szene (Wirtshaus)

Im Wirtshaus geht es hoch her. Zwei betrunkene Handwerksburschen prahlen mit ihrer Lust sich zu schlagen und mit ihrem Branntweindurst, der die Welt erst schön macht. Andere singen. Woyzeck stellt sich ans Fenster und sieht Marie und den Tambourmajor vorbeitanzen. Sie tanzen mit Leidenschaft, Marie summt im Rhythmus der Musik „Immer zu, immer zu!" Der Griff, mit dem der Tambourmajor sie faßt, ist eindeutig genug. Nun ist Woyzeck klar, daß Marie ihm untreu geworden ist. Eine Welt bricht in ihm zusammen, alle armselige Ordnung, die er noch für sein Leben glaubte, gerät in Verwirrung. Während er zusammenbricht, hält der betrunkene Handwerksbursche eine parodierende Predigt.

13. Szene (freies Feld)

Woyzeck ist ins Freie geflüchtet, aber zum Rhythmus der herüberklingenden Tanzmusik hört er immer noch Maries aufpeitschendes „Immer zu!" Aus dem Boden glaubt er plötzlich andere Stimmen zu hören, die rufen: „Stich, stich die Zickwolfin tot!" Noch ist der Entschluß nicht gefaßt, er zweifelt: „Soll ich? Muß ich?" Die geheimnisvollen Stimmen aber klingen weiter.

14. Szene (Wirtshaus)

Woyzeck ist ins Wirtshaus zurückgekehrt und trifft den Tambourmajor, der offenbar eben mit seiner neuen Eroberung prahlte. Er warnt jeden, mit ihm anzubändeln. Dann fordert er Woyzeck zum Saufen auf. Als dieser nicht antwortet, wird er wütend, die beiden ringen miteinander und Woyzeck wird besiegt und verletzt. Nun prahlt der Tambourmajor erst recht. Woyzeck aber in seiner Beschämung wird in seinem noch vagen Entschluß gefestigt. Als er weiter verspottet wird, deutet er dunkel an: „Eins nach dem anderen."

15. Szene (ein Zimmer in der Kaserne)

Andres und Woyzeck liegen in einem Bett. Woyzeck rüttelt Andres wach. Er kann nicht schlafen. Immer, wenn er die Augen zumacht, hört er die Geigen, und dazu spricht es aus der Wand. Andres weist ihn ab. Woyzeck aber beharrt darauf, daß es aus der Wand tönt: „Stich, stich!" Andres erklärt ihn für einen Narren und schläft wieder ein.

16. Szene (Kasernenhof)

Woyzeck fragt Andres, ob er nichts über den Tambourmajor und Marie gehört habe. Ausweichend antwortet dieser, daß er mit einem Kameraden sei. Auf dringlichere Frage aber erklärt er, daß sich der Tambourmajor seines Erfolges bei Marie gerühmt habe. Woyzeck bleibt ganz kalt, aber er erinnert sich des nächtlichen Traumes von einem Messer. Unter dem Vorwand, für seinen Offizier Wein holen zu wollen, geht er weg. Im Abgehen aber sagt er bedauernd: „Sie war doch ein einziges Mädel."

17. Szene (Maries Kammer)

Marie sitzt mit dem Kinde und dem Narren in ihrer Kammer und blättert in der Bibel. Sie liest im Evangelium von der Ehebrecherin (Johannes 8, 3); sie grübelt über das Wort aus dem Petribrief: „Und ist kein Betrug in seinem Munde erfunden." Das Kind ist ihr quälende Mahnung an ihre Untreue. Der Narr erzählt sich selbst wirre Märchen, er verwechselt sie alle. Marie sinnt: „Der Franz ist nit kommen, gestern nit, heut nit." Sie sucht wieder Trost in der Bibel und liest das Kapitel von der großen Sünderin aus Lukas 7, 38. Mit ihr möchte sie die Füße des Heilands salben. Aber sie bleibt allein, alles um sie ist tot.

18. Szene (Trödlerladen)

Bei einem Juden will Woyzeck zuerst eine Pistole kaufen, aber sie ist ihm zu teuer. Da kauft er ein Messer und geht zur Tat entschlossen ab.

19. Szene (Kaserne)

Besessen von seinem Plan ist Woyzeck in die Kaserne zurückgekehrt. Er macht eine Art Testament und verteilt seinen küm-
merlichen Besitz. Dann liest er seinen Militärpaß. Sein Verhalten wird Andres unheimlich, er hält ihn für krank und möchte
ihn ins Lazarett schaffen. Woyzeck antwortet nur mit geheimnisvollen Andeutungen vom nahen Sterben.

20. Szene (Straße)

Marie ist unter spielenden Kindern auf der Straße und wartet.
Die Mädchen singen ein Lied, das einigen nicht gefällt. Marie
soll singen, aber sie will nicht. Da erzählt die Großmutter ein
ebenso geheimnisvolles wie unheimliches Märchen von dem
armen elternlosen Kind, das auszog und suchte. Weil auf der
Erde niemand mehr war, wollte es in den Himmel gehen. Der
Mond schien so freundlich, aber als es hinkam, war es ein Stück
verfaultes Holz. Und als es zur Sonne kam, war sie eine ver-
welkte Sonnenblume, und die Sterne waren goldene Mücken,
die wie vom Neuntöter auf Schlehen gesteckt waren. Und als es
auf die Erde zurückwollte, war diese ein umgestürzter Hafen,
und es war ganz allein. Die letzte Isolierung, die tiefste Vereinsamung des Menschen ist in diesem Märchen gestaltet. Während
Marie noch über den Sinn des Märchens nachdenkt, kommt
plötzlich Woyzeck und führt sie fort.

21. Szene (Waldweg am Teich)

Woyzeck hat Marie an eine einsame Waldstelle geführt. Marie
glaubt, er habe sich verlaufen, und zeigt ihm, wo die Stadt liegt.
Woyzeck aber beharrt darauf, daß sie bleiben muß. Plötzlich
fragt er nach der Vergangenheit. „Weißt du auch, wie lang es
noch sein wird?" fragt er weiter. Marie wird es unheimlich,
sie drängt zum Heimweg, sie müsse das Nachtessen richten. Woyzeck spricht weiter von ihrer Liebe, macht aber erschreckende
Andeutungen. Dann schweigen sie einen Augenblick, bis Marie
plötzlich schaudernd den rot aufgehenden Mond sieht. Da ist
der Augenblick für die Tat gekommen. Woyzeck ersticht sie in
einem rasenden Anfall. Dann läuft er kopflos davon.

22. Szene (Maries Kammer)

Der Idiot hütet das Kind. Als er die feuchten Kleider des verstört hereinstürzenden Woyzeck sieht, lallt er ununterbrochen: „Der ist ins Wasser gefallen." Er und das Kind spüren, daß etwas Schauerliches geschehen ist. Das Kind, das Woyzeck liebkosen will, wendet sich schreiend von ihm ab. Er verspricht ihm einen Lebkuchenreiter und will dem Narren Geld geben, aber dieser reißt plötzlich das Kind an sich und flieht.

23. Szene (Wirtshaus)

Woyzeck ist wieder in das Wirtshaus gegangen, in dem er den Mordplan faßte. Er tanzt wild mit einem lockeren Mädchen, das derbe Scherze mit ihm macht. Ihm wird heiß, er zieht den Rock aus. Da entdeckt das Mädchen Blut an seinem Ellenbogen. Die Leute werden aufmerksam und stellen sich um ihn herum. Der Narr aber wiederholt sein Märchen: „Da hat der Ries gesagt: ich rieche Menschenfleisch." Grauen und Angst packen Woyzeck, er fühlt sich als Mörder durchschaut, er rennt verwirrt hinaus.

24. Szene (Waldweg am Teich)

Woyzeck ist an die Stätte der Tat zurückgekehrt. Er sucht nach dem Messer, das ihn verraten könnte. Er findet es bei der Leiche und verliert sich in halben Wahnvorstellungen. Er glaubt sich als Vollstrecker einer höheren Gerechtigkeit, er glaubt, Marie entsühnt zu haben. Aber dann bricht die Angst wieder durch, er läuft zum Wasser und wirft das Messer weit hinein. Dann fürchtet er, daß es nicht weit und tief genug liegt, er watet ins Wasser, will sich waschen und das Messer suchen, gerät dabei immer tiefer hinein. Leute kommen hinzu, die das Rufen gehört haben. Sie erkennen, daß jemand ertrunken ist oder ertrinkt. Angst erfaßt sie, aber sie ermannen sich und eilen ans Wasser.

25. Szene (Straße)

Kinder strömen hinaus zum Waldweiher, um noch etwas von dem Mord zu erspähen. Sie klären ein Kind, das noch nichts weiß, darüber auf, daß dort jemand ermordet wurde. Sie drängen zur Eile, damit ihnen nur nichts von dem Schauspiel verlorengeht.

26. Szene (Waldweg am Teich)

Arzt, Gerichtsdiener und Richter sind am Tatort versammelt. Ein Polizist stellt beinahe vergnügt fest, daß es „ein guter Mord,

ein echter Mord, ein schöner Mord" sei, „wir haben schon lange
so keinen gehabt".

DIE GESTALTEN DES „WOYZECK"

„Woyzeck" ist nach Otto C. A. zur Nedden „ein einziger Auf-
schrei der gequälten Kreatur in ihrer untersten Schicht, ein
wahrhaft aufrüttelndes und Mitleid erweckendes Sozial-Drama
von unausweichlicher Eindringlichkeit." Diese Sichtweise vertieft
die marxistische Literaturforschung vor allem durch Georg
Lukács und Hans Mayers Analysen und Interpretationen der
Umwelt Woyzecks. Der Wahnsinn wird als auslösendes Moment
nicht gelten gelassen. Was oder wer löste den Wahnsinn aus?
Was treibt Woyzeck ins Verbrechen? Antwort: Die Determiniertheit durch die Gesellschaft, die ökonomischen Bedingungen. Die
Dramengestalt wird zum Objekt, zum Behandelten, ist nicht Sub-
jekt, Handelnder und wird damit zum Spielball der sozial je
anders definierten Rollen, die das Hineingeborenwerden in eine
soziale Schicht via Schicksal (Geburt) festlegt. Büchners Woyzeck
kann sich nicht auflehnen, kann nicht protestieren im Sinne Da-
tons, weil es seine Möglichkeiten nicht zulassen. Was bei Danton
tiefe Resignation, die ja Bewußtsein voraussetzt, ist und Verzweiflung auslöst, dringt bei Woyzeck nicht bis an die Oberfläche
des Bewußtseins. Er flieht in den Wahnsinn, wird nicht zum so-
zialrevolutionären Faktor. Hier scheinen Parallelen des Sich-
verweigerns sichtbar zu werden, wenn auch aus ganz anders-
artigen Seinslagen. Hier läßt sich anmerken, daß nicht ein be-
stimmtes soziales Manifest didaktisch nutzbar gemacht und vorgeführt werden soll, sondern die Armut (geistig und materiell)
eines Menschen. Büchner will hier nicht gesellschaftlich erhellend
im Sinne von Manipulation wirken, sondern beschreiben, dar-
stellend.

Woyzeck gehört zu den armen Leuten. Er hetzt sich ab, um
etwas Verdienst zu haben für Weib und Kind. Für einige Groschen gibt er sich für die unsinnigsten Experimente des Doktors
her. Die Armut hat bei ihm die Stelle der Moral eingenommen.
Sie hat ihn aber auch isoliert, einsam gemacht, auf sich allein gestellt. Sie läßt ihm nicht das Gefühl, frei zu sein, sie raubt
ihm Willen und Gesundheit. Er wird zur „Natur" herabgedrückt,
er ist wie das dressierte Pferd in der Schaubude ein „verwandel-

ter Mensch": Das Leibliche, Physische in ihm wendet sich direkt
an das Sinnlich-Unwiderstehliche, an das Tierische in Marie.
Und in der Liebe zu ihr hat er sich die letzte Oase in der absoluten Wüste seines Lebens erhalten, in der er ganz Mensch ist.
Marie weiß von dieser Liebe, sie hängt dankbar an diesem
Manne, der jeden Pfennig für sie und ihr Kind spart. Aber der
Dämon der Sinnlichkeit ist stärker in ihr. Er treibt sie unwiderstehlich zu dem Tambourmajor, der ganz nur Kraft und Sinnen-
gier, nur ein Typ, nicht ein Charakter ist, wenn er vielleicht
auch in hessischen Soldaten jener Zeit sein Vorbild hatte. Die
Natur ist stärker als die Moral. Aus ihr erwächst die Tragik des
der Natur allzu nahen Woyzeck und Maries. Woyzeck findet kein
Verhältnis zur Erde, zur Natur mehr, weil sie ihm zur ständigen
Gefahr, zur existentiellen Bedrohung wird, er hört ihre dro-
henden und warnenden Stimmen, aber er versteht sie nicht. Das
ist sein Wahn, sein Ausgeliefertsein an geheimnisvolle Kräfte,
die er fürchtet und doch nicht kennt. Wir neigen heute dazu,
alles, was sich nicht in unsere rationalen Systeme einpassen läßt,
was jene dem bloßen Materialismus fremde Verbundenheit mit
der Kreatur und ihren Gründen verrät, die auch jenseits der
Religion möglich ist, als Wahn zu bezeichnen. Das ist Größen-
wahn, der das bißchen endlicher rationaler Erkenntnis als Welt-
erkenntnis setzt. Büchner wußte um jenen höheren Wahn, der
das Individuelle und das Allgemeine ineinander fließen läßt, der
dem Menschen Lebensordnung und seinem Leben Sinn gibt.
Aber diesem Wissen steht die Erkenntnis gegenüber, daß der
niedere Wahn zu stark bleibt, mag er sich nun als existentielle
Angst in Woyzeck, als intellektuelle Aufgeblasenheit im Doktor
oder als moralische Erstarrung im Hauptmann äußern. Im
Grunde hat jeder ein falsches Verhältnis zum Leben, zur Wirklichkeit. Das Leben ist triebhaft, sinnlos und grausam. Damit aber
zeigt sich die Entwicklung von „Dantons Tod" zu „Woyzeck". In
„Dantons Tod" ist das letzte Ziel das Nichts, vor dem den Helden dennoch das Grauen packt. In „Woyzeck" wird der Pessimismus zum tragischen Verstehen. Nicht die sozialen Umstände
bedingen die Tragik, das Sein an sich ist bereits tragisch, die
Tragik ist schon in der Existenz, nicht im Werden. Das gibt
Büchners tragischer Idee jene Unerbittlichkeit, jene Unabwend-
barkeit, die die Volksballade kennt, die auch die antike Tragödie trotz aller ideologischen Verschiedenheiten wieder mit „Woyzeck" verbindet. Man hat den „Woyzeck" die „dramatische Bal-

lade von der Passion des Menschen" genannt. Weil sie es ist, konnte von ihr die Kraft ausgehen, die im 19. und 20. Jahrhundert die Vertreter verschiedenster künstlerischer Anschauungen, Realisten, Naturalisten und Expressionisten in ihren Bann schlug. Hier ist das Schicksal in der Gestalt des armen Soldaten, dessen Innenleben durch die Untreue Maries zerstört wird, und der damit nur noch Organ einer höheren Naturgewalt ist, die er doch nicht erkennt.

Neben diesem beherrschenden Charakter verschwinden fast alle bis auf Marie. Woyzeck steht allein, er ist absolut einsam. Sein Kamerad Andres hat nichts Charakteristisches. Er ist nur der Vertraute Woyzecks, der stumpfe Soldat, der gern Volkslieder singt und darin die ihm genügende seelische Ausdrucksmöglichkeit findet, sich aber völlig an Woyzecks Wesen verliert, wenn er nicht gerade das Bedürfnis verspürt, zu schlafen. Ausgeprägter ist die Gestalt der Marie. Zwei Züge sind charakteristisch, einmal die impulsive, unwiderstehliche Sinnlichkeit, zum anderen ihre schlichte Frömmigkeit. Mit der Schuld erst geht ihre Liebe zu Woyzeck richtig auf, aber es ist zu spät, die Sinnlichkeit bleibt doch stärker. Sie zeigt Reue. Vielleicht hatte Büchner die Absicht, ihren Tod auch von ihrer Seite her als Sühne zu zeigen. Aber sie bleibt in der Situation des Kindes in dem unheimlichen Märchen der Großmutter: „Und es war allein, und da hat sich's hingesetzt und geweint, und da sitzt es noch und ist ganz allein."

Schroff stehen diesen Vertretern der unteren Schicht die beiden Gestalten aus der höheren, der bürgerlichen Welt gegenüber: der Hauptmann und der Doktor. Der Hauptmann ist der typische Spießbürger in seiner angelernten Moral und seiner unendlichen Langeweile. Er ist gutmütig. Seine oft vorgebrachte Phrase, daß er ein guter Mensch ist, aber besagt im Grunde nur, daß er nicht weiß, was er darunter verstehen soll. Er ist feige, sein ganzes Leben besteht aus der Angst, es nicht ausfüllen zu können Dabei ist er nicht gerade ungebildet, aber in halben Begriffen festgerannt und dumm. Aus dem Wunsch, zu überzeugen, wiederholt er sich immer, aber er versteht im Grunde nur sich selbst und nicht die Umwelt. Diese Dummheit mit der Überzeugung, witzig und gebildet zu sein, verbunden, veranlaßt ihn, seine Untergebenen zu schikanieren. Darin ist er der typische militärische Vorgesetzte unseligen Andenkens. Sicher hatte Büchner in Darmstadt manche Gelegenheit, Vorbilder zu finden.

Der Doktor soll den Gießener Gelehrten Wilbrandt als Vorbild haben. Wenn es so ist, so geht Büchner doch viel weiter, er gibt nicht nur ein Original. Sein Doktor ist eine Satire auf den vor lauter Wissenschaft beschränkten, oberflächlichen und selbstzufriedenen Gelehrten. Er kennt keine Angst mehr, aber auch keine Menschlichkeit, er ist in seinem System völlig erstarrt. Dabei hält er sich für himmelhoch erhaben über andere Menschen und sieht in ihnen nur „Objekte" an denen er seine Weisheit demonstrieren kann, die in Wirklichkeit und sicher von Büchner in bewußter Absicht so gezeichnet, übelste Halbbildung oder gelehrt klingendes Geschwätz ist. Der Doktor ist erstarrt im seelenlos materiellen Denken, er hat die Verbindung zur Natur verloren. Der Hauptmann ist im ständischen Moralkodex steckengeblieben und hat keine Beziehung mehr zum Leben. Sie sind Kontrastfiguren zu Woyzeck, dem primitiven, noch mit den Naturgewalten verbundenen Menschen. Daß er ihnen ausgeliefert wird, ist tragische Ironie.

ZUR SPRACHE DES „WOYZECK"

Kasimir Edschmid befaßt sich in seiner Büchnerausgabe von 1948 unter anderem mit der Sprachbefähigung Büchners und rückt ihn in die Nähe Shakespeares, wenn er schreibt: „... Er hatte wie Shakespeare die Fähigkeit, verdichten zu können, ohne dunkel, bildhaft zu sein. Er ist kein Naturalist und alles andere als ein Realist, aber er ist ein Mann, der die Wirklichkeit in der deutschen Literatur am magischsten geformt hat." Helmut Krapp weist in seiner ausführlichen Analyse der Büchnerschen Sprachform nach, daß „Schrei und Interjektion, Satzfraktur und Wortsignal" auf die tiefe psychologische Verfaßtheit, aus der heraus Woyzeck sich selbst verliert, er seine Sprache verliert, zum Stammler wird, sich seine Wahrnehmungen verdunkeln, verwaisen. Mit den Mitteln der Wortwiederholung, des Abbrechens, der Verkürzung gibt Büchner die Komplexität der Seinsart Woyzecks Ausdruck, die durch Schmerz, Leid, Verlorensein, Ausgeliefertsein an die Stimmen und dem aufkommenden Wahnsinn beschrieben werden kann.

Je weiter die Szene, das Abgleiten Woyzecks in Schuld und Verstrickung fortschreitet, sich zur Katastrophe ausweitet, desto mehr reduziert sich die Sprachfähigkeit, rückt ab vom Dialog zum Monolog. Die Form unterstreicht, stützt den Inhalt, die Vereinzelung des Menschen, die Unfähigkeit, via Sprache sich mitzuteilen, weil es nutzlos wird, dies zu tun, wenn niemand da ist, dem ernsthaft und sinnvoll, weil verstehend, sich mitzuteilen lohnte. Hermann von Dam weist darauf hin, daß die Bilder und die Sprechweise den Raum des bloßen Abbildens und die Faktizität des Geschehens verlassen und surreale Assoziationen (zusammen mit) natürliche(r) Wortwahl zu einer visionären Komposition zusammen(schließen). Dazu kommt die Übernahme der Musik, als flankierendes und unterstützendes Element. Der Zapfenstreich zieht vorbei, sein Glanz läßt die sinnliche Lockung des Tambourmajors auf Marie verstärkt wirken. Im Rhythmus der Tanzmusik hört Woyzeck die unheimlichen Stimmen, die ihn zum Mord treiben. So vereinigen sich hier Wort, Bewegung und Klang zum Ganzen, es entsteht eine künstlerische Form, nach der viel später Impressionismus und Expressionismus strebten, und die sie doch nicht erreichten, weil sie nicht wie Büchner aus dem tiefsten Erleben des Mitleides, sondern bewußt und absichtlich dichteten.

DISPOSITIONEN UND AUFSÄTZE

(Beispiele einer sachgemäßen Gliederung und Behandlung eines Themas)

„La fama" und „la fame"

A. Vergleich zwischen Alfieri und Gozzi
B. Büchner und der Idealismus

    1. Die Existenzangst als treibende Kraft
    2. Die bürgerlichen Werte und die Natur

C. Der soziale Ansatzpunkt

        Alfieri: „E la fama?"
        Gozzi: „E la fame?"

Dieses Motto setzte Büchner über sein Lustspiel „Leonce und Lena". Vittorio Alfieri (1749—1803) ist der italienische Klassiker, der Tragödiendichter, er verherrlicht die Freiheit und bekämpft mit wildem Haß die Tyrannen Es ist im Grunde gleichgültig, ob er dieses Wort vom Ruhme, vom Ansehen, jemals gesprochen, für Büchner ist er nur literarischer Typ, Orientierungspunkt. Es kennzeichnet den idealistischen Dichter, der den Fortschritt verherrlicht, an eine bessere Menschheit glaubt, die aus einer Politik der Vernunft und des idealen Strebens, der freien Entfaltung der Persönlichkeit erwachsen soll. Ihm stellt Büchner das angebliche Wort Carlo Gozzis (1720—1806), des Verteidigers der alten Commedia dell'arte gegen die Reformbestrebungen Carlo Goldonis, entgegen. Hier ist der Grund genannt, der alles idealistische Streben unsinnig macht, der Hunger, die „Umstände, in die wir hineingeboren wurden".

Was Gozzi dem heroischen idealistischen Alfieri entgegenhält, ist das gleiche, was Büchner einmal an Gutzkow schrieb: „Ein Huhn im Topf jedes Bauern macht den gallischen Hahn verenden." Aber der Politiker Büchner ist nicht der Dichter. Gozzi spricht hier keine Erfahrung und keine Überzeugung aus, er stellt eine Frage. Nichts ist geklärt, Gozzi widerlegt Alfieri, Alfieri Gozzi. Die Gesellschaft geht ihren Weg weiter, weder das eine noch das andere bringt sie vorwärts, alles bleibt in der Schwebe, geht seinen sinn- und zwecklosen Weg, dessen Ziel niemand kennt.

Es ist merkwürdig und zu wenig beachtet, daß dieses Motto ausgerechnet über dem Lustspiel Büchners steht. Es könnte auch über dem „Woyzeck" stehen. Man hat hier gelegentlich von einem Othello-Drama im kleinbürgerlichen Milieu gesprochen. Auch Othellos Mord entspringt aus dem Gefühl der Isolierung, der Andersartigkeit in einem Milieu, das ihn zwar aufnahm, aber doch die Fremdheit spüren läßt. Er genießt alle Ehren dieser Gesellschaft, aber er fühlt sich nie sicher in diesen Ehren. Er mordet um der „fama", des Ansehens, des gekränkten Rufes willen. Woyzeck aber erklärt seinem Hauptmann: „Es muß was Schönes sein um die Tugend, Herr Hauptmann, aber ich bin ein armer Kerl." Diese Tugend, diese vom Hauptmann beschworene Moral ist für ihn kein Wert und kein in seiner Welt wirksames Prinzip. Sie ist „ein gutes Wort", sie ist um ihrer selbst willen da: „Moral, das ist, wenn man moralisch ist, versteht Er?" Woyzeck versteht eben nicht. Es besteht keine Beziehung zwischen dem Redenden und dem Angeredeten, es bleibt alles in der Schwebe zwischen fama und fame, zwischen Idealismus und nackter Existenzangst, dem Bangen um das Stückchen Brot, um das bißchen Leben. Es ist aber falsch, daraus nur ein soziales Problem zu konstruieren. Büchner geht viel weiter als Hebbel in der um wenige Jahre jüngeren „Maria Magdalena" (1843). Da

handelt es sich um „die schreckliche Gebundenheit" der kleinbürgerlichen Welt, die sich selbst überlegt hat und es nicht
merken will, die aber in sich geschlossen bleibt, nicht gegen
andere Gesellschaftsschichten abgesetzt wird. Büchner aber stellt
die gesellschaftlichen Gegensätze in den Vordergrund. Falsch ist
die Meinung, daß sein Woyzeck in geistige Umnachtung ver-
sinke. Er ist nicht wahnsinnig, sein Wahn besteht darin, daß er
sich einer Welt gegenübersieht, die er nicht versteht, und deshalb in die Welt unter sich flieht, in die Natur, die ihn erst recht
erschreckt: „Es geht hinter mir, unter mir — (stampft auf den
Boden) Hohl, hörst du? Alles hohl da unten!" Der Hauptmann
spricht ihm von Moral, mit der er nichts anzufangen weiß, die
ihm aber als kostbarer Besitz der reichen Leute erscheint. Der
Doktor preist ihm sogar die Freiheit: „Woyzeck! Der Mensch ist
frei. In dem Menschen verklärt sich die Individualität zur Freiheit." Woyzeck aber weiß nur von seinem Hunger, weiß, daß er
rennen muß, um Brot für sich, sein Weib und sein Kind zu be-
sorgen, so wie das Tier ständig auf Beute aus ist, wo es geht
und steht. Da ist Freiheit für ihn ein ebenso leeres Wort wie
die Moral, das alles ist für die reichen Leute.

Woyzeck ist nicht allein in dieser Lage. Andere finden sich damit
ab und sind vergnügt dabei. Sie sehen dieses Mißverhältnis
einfach nicht, weil sie wie der stumpfe Andres oder der ohne
jede menschliche Regung nur als militärische Würde und Macht
figurierende Tambourmajor sich selbst genügen. „Du denkst zu
viel, das zehrt; du siehst immer so verhetzt aus", tadelt der
Hauptmann Woyzeck. Das ist sein Fehler: er denkt. Das Denken
ist zwar erlaubt, sogar Mittel des Fortschritts. Aber man denkt
in festen Kategorien, im verbindlichen System und nach den
Erfordernissen einer gesellschaftlichen Ordnung. Daß man damit
auch nur „Natur" ist, nur Produkt der Umstände, des Milieus,
übersieht der Gebildete. Woyzeck aber übersieht nichts, das
bringt ihn in Gefahr. An die Gründe des Seins, um die Woyzeck
wirr und hilflos grübelt, darf der Mensch nicht rühren. Lieber
baut er sich Pfeiler und Säulen in die Luft, er umgibt sich mit
Ordnungen, die zwar nur Pose sind, die aber als Gesetz dekla-
riert werden und deshalb „fama", Ansehen, geben. Man versteckt hinter ihnen die existentielle Not, die fame, und plötzlich
verwirren sich Natur und Zivilisation, Sein und Schein, und

selbst das rein menschliche Glück spielt sich innerhalb der Umstände ab, in die wir hineingeboren sind, die wir nicht schaffen, die uns vielmehr bedingen. Woyzeck aber kann sich auch im einfachsten Sein nicht gegen die breite Heldenbrust, den Helmbusch und die weißen Handschuhe seines Nebenbuhlers behaupten, obwohl dieser rein viehisch ist. Der Schein ist für ihn. „Was der Mensch Quasten hat! Und die Frau hat Hosen!" Das lockt Marie in die Schaubude. Solche Quasten und Federbüsche sind aber auch in weiterem Sinne Moral und Freiheit für den armen Mann. Hätte er Hut, Uhr und Anglaise, so würde er zu ihnen finden, dann würde er sie nicht wie ein fernes Wunder bestaunen, er würde nach ihnen leben. So wie er vornehm spräche, würde er auch vornehm moralisch sein. Nun aber gilt für ihn das Gesetz der Natur. Er rettet die Ordnung seiner Welt auf seine Weise, auf die der Natur: er greift zum Messer. Für ihn gelten St. Justs Worte: „Die Natur folgt ruhig und unwiderstehlich ihren Gesetzen: der Mensch wird vernichtet, wo er mit ihnen in Konflikt kommt." Woyzeck mordet nicht aus Haß, aus sozialem Ressentiment oder Eifersucht. Er ist die beleidigte Natur, die sich blutig auflehnt. Sie weiß nichts von der Moral, weil diese sich mit dem Besitz verbündet und aus ihren natürlichen Bindungen gelöst hat. Der Mensch ist nicht nur sozial, er ist auch in der natürlichen Ordnung wieder ganz unten.

Hier ergibt sich der soziale Ansatzpunkt. Die sozialen Zustände, die den einen im Dunkel belassen, während sich der andere im Lichte sonnt, sind das wahre Verbrechen, nicht Woyzecks Tat. Er wird aus diesem Dunkel, in dem er mit vielen ungesehen und unbekannt lebte, auf einen Augenblick ins Licht gehoben, um dann wieder unterzugehen. Diese sozialen Zustände aber sind von Menschen gemacht, Menschen können sie ändern. Statt sich abzukapseln, müssen sie Licht in dieses Dunkel tragen, ihren Erkenntnissen folgen und nicht nur große Worte aus ihnen machen. „Der Teufel ist nur des Kontrastes wegen da, damit wir begreifen sollen, daß am Himmel doch eigentlich etwas ist", sagt Leonce. Das ist kein Bekenntnis zu einer Religion, es ist die tiefe Einsicht in die Gesetze der Welt, die erst dann menschenwürdig ist, wenn die Menschen einander nicht nur achten, sondern lieben lernen. An anderer Stelle sagt Leonce: „Weißt du auch, Valerio, daß selbst der Geringste unter den Menschen so groß ist, daß das Leben noch viel zu kurz ist, um ihn lieben zu können?" Aus diesem liebenden Mit-Leiden erwuchs Büchner die Gestalt seines Woyzeck, aus seiner großen, umfassenden Menschenliebe, die er einmal in einem Briefe an die Eltern anders aussprach: „Ich hoffe noch immer, daß ich leidenden, gedrückten Menschen mehr mitleidige Blicke zugeworfen, als kalten vornehmen Herren bittere Worte gesagt habe." Wir wissen nicht, wie er den „Woyzeck" schließen wollte. Die skizzenhaften letzten Szenen ergeben keine zwingenden Anhaltspunkte, und der von Bearbeitern angefügte Schluß, der ihn in den Tod gehen läßt, entspricht vielleicht nicht der Absicht des Dichters, er ist jedenfalls konventionell. Er gibt keine Stellungnahme zu Woyzecks Wort: „Jeder Mensch ist ein Abgrund; es schwindelt einem, wenn man hinabsieht."

Der Fels des Atheismus

A. Das Religionsgespräch in „Dantons Tod"

B. Büchner und die Religion
   1. Sein Verhältnis zum Atheismus
   2. Büchners Spinozastudien
   3. Büchners Denken im Rahmen des 19. Jahrhunderts

C. Das religiöse Erlebnis in „Woyzeck"

Das Wort vom „Fels des Atheismus" findet sich in „Dantons Tod" an wichtiger Stelle. Die Gefangenen im Luxembourg erwarten ihren Prozeß vor dem Revolutionstribunal. Ihre Tätigkeit ist gewaltsam beendet, für sie gibt es keine Zukunft mehr, nur eine düstere Gegenwart und Rückblick auf die Vergangenheit, Abrechnung mit ihr. Das Schicksal ist gewiß. In dieser Lage philosophieren Chaumette, der die Religion der Vernunft in Paris begründete, Thomas Paine und der greise Nationalökonom Mercier. Thomas Paine führt das Wort. Dabei läßt Büchner ihn Ansichten aussprechen, die denen des historischen Paine durchaus widersprechen, was vielleicht doch auf eine ironische Absicht schließen läßt. Das Gespräch dreht sich um zwei Probleme, um Gott und die Willensfreiheit, die Fragen, die Büchner als die schwersten der Philosophie empfand. Paine geht dabei von der

Unzulänglichkeit der Welt aus, die empirisch nachweisbar ist, da Leiden und Ungerechtigkeit in ihr herrschen. Gott aber ist nur als das absolut Vollkommene denkbar. Hätte Gott also die Welt geschaffen, so hätte das Vollkommene das Unvollkommene geschaffen, was seinem Wesen widerspricht, da bei endlicher Schöpfung Gott einmal aus dem Zustand der Ruhe in den der Tätigkeit übergegangen sein muß, also eine Wandlung durchmachte, was eben nicht vollkommen ist. Setzt man die Schöpfung aber ewig, dann ist sie Attribut Gottes, und zwar ein unvollkommenes, was wiederum nicht dem Wesen Gottes als dem absolut Vollkommenen entspricht. „Schafft die Unvollkommenheit weg, dann allein könnt ihr Gott demonstrieren", behauptet Paine. „Merke dir es, Anaxagoras: Warum leide ich? Das ist der Fels des Atheismus. Das leiseste Zucken eines Schmerzes, und rege er sich nur in einem Atom, macht einen Riß in die Schöpfung von oben bis unten."

Mit dieser Berufung auf das menschliche Leiden als „Fels des Atheismus" steht Büchner mitten in den großen Auseinandersetzungen seiner Zeit. Die Darlegungen seines Paine sind gewiß recht kindlich und auch sophistisch, sie tragen allzu deutlich den Stempel der Ironie, der Verachtung für den Vertreter des Kultes der Vernunft, dessen Überheblichkeit die Widerlegung Gottes braucht. Aber es bleiben doch die blasphemisch klingenden Worte: „Muß denn Gott einmal schaffen, kann er nur etwas Unvollkommenes schaffen, so läßt er es gescheiter ganz bleiben." Das ist die Wendung vom theozentrischen zum anthropozentrischen Denken. Die natürliche Harmonie, in der das gleiche Gesetz für Gott und Menschen gilt ist aufgegeben. Über Spinozas „Deus sive natura", Gott oder die Natur, kommt Paine zur Absage an die Vorstellung göttlicher Vollkommenheit. Das bedeutet auch die Absage an die Auffassung einer Einheit von Natur und Gesellschaft, von Gott und Mensch, von göttlicher und menschlicher Ordnung. Es bleibt der Versuch, aus menschlicher Kraft das Unvollkommene zu überwinden, wie es die französische Revolution in der Theorie wollte. Aber sie gerät in den „gräßlichen Fatalismus der Geschichte" in eine Determiniertheit, die automatisch die Dinge ablaufen läßt. Der Atheismus war Bestandteil der politischen Anschauung geworden, was grundsätzlich Büchners Meinung entsprach. Aber sie überschätzte den neuen Gott, den sie an die Stelle des alten setzen wollte, die Vernunft, deren Göttin eben doch nicht die Verkünderin einer leuchtenden Zukunft, sondern eine übel beleumundete Pariser Komödiantin, Madame Momoro, war.

Büchner hat sich außer mit Descartes intensiver mit Spinoza beschäftigt. Wie dieser erlebt er die Ohnmacht des Menschen gegenüber den Natur- und Gesellschaftsvorgängen. Aber der Unterschied im Denken beider ist groß und fundamental. Spinoza mißtraut den Urteilen der Menschen, die auf Sinneserfahrungen, Gefühlen und Bewertung beruhen, die etwas gut oder böse nennen, was an der ewigen Substanz teilhat, und von dem sie nur wenige, zufällig erfahrene Attribute kennen. Zorn, Ungeduld und Leiden über die Zustände der Welt verfinstern die Erkenntnis. Der Weise muß auch diese Notwendigkeiten als vernünftig annehmen, die Leidenschaften durch Vernunftschlüsse ersetzen. Dadurch wird der Mensch erst frei, daß er sein ganzes Denken und Fühlen, sein Planen und Handeln von der Vernunft leiten läßt und die Gegebenheiten als ewige Notwendigkeiten erkennt.

Büchner aber reagiert anders. Ein Gott, dessen Tun einfach hingenommen werden soll, ohne daß es kritisiert werden darf, entspricht nicht seinem Wesen. Er ist wie Spinoza Determinist und Fatalist, aber nicht wie der Philosoph in demütiger Hinnahme der Gegebenheiten, sondern in leidenschaftlichem Mitleid mit der unvollkommenen Welt und denen, die in ihr leiden müssen. Wird Spinoza gerade durch seinen Determinismus zu Gott geführt, so trennt er Büchner von ihm und führt ihn vor eine Welt, die das Chaos ist und ins Nichts rollt Büchner antwortet mit dem Gefühl, nicht mit dem Verstande. Das Mit-Leiden wird für ihn zur einzig möglichen Reaktion vor den unabänderlichen Leiden. Lenz sagt einmal: „Der Gedanke ein Produkt der Natur zu sein, hat etwas Erschreckendes; und doch ist er wahr! Aber mein trauerndes, angsthaftes Gefühl dabei ist ebenso wahr." Das ist Büchners Haltung gegenüber der Welt, die den Menschen als Aufgabe gestellt ist.

Das aber ist wiederum typisch für das 19. Jahrhundert. Das metaphysische und erkenntnistheoretische Problem wird in einer in ihren Grundlagen fragwürdig gewordenen Welt abgelöst durch das ethische. Büchner ist in erster Linie Ethiker. Der Mensch mit seinen Nöten rückt in den Mittelpunkt des Denkens. Es geht Büchner gar nicht mehr um Gott, es geht ihm um den Menschen, nicht ums Erkennen, sondern ums Tun nicht um den Verstand, sondern um das Fühlen. Diesen Standpunkt aber hat er nicht aus philosophischen Studien gewonnen, er erfuhr ihn aus persönlichem Leid. Nicht rationell, sondern intuitiv erfaßt er damit das Denken seiner Zeit und nimmt manchen Gedanken, der erst später ausgesprochen wurde, vorweg. Was ihn von seinen Zeitgenossen trennt, ist der Vorbehalt, den er macht. Er ist nicht sicher, daß die Äußerung der Umstände bereits genügt, die Welt besser zu machen. Sein Determinismus und Fatalismus sind pessimistisch. Darin unterscheidet er sich von den Revolutionären des 19 Jahrhunderts. Etwas formelhaft drückt es Mayer aus: „Vom Fels des Atheismus aus erblickte Marx ein gelobtes Land, Büchner dagegen nur das Grau in Grau hoffnungslosen Elends."

Aber in „Woyzeck" sucht Büchner doch wohl bereits weiter. Da steht Maries trostloses Gebet: „Heiland, Heiland, ich möchte Dir die Füße salben." Und Woyzeck liest Andres in bedeutsamer Stunde, da er den wirren Entschluß faßt, die beleidigte Natur zu versöhnen und Marie zu töten, den Spruch vom Heiland aus seiner Mutter Bibel vor:

> „Herr! Wie Dein Leib war rot und wund,
> So laß mein Herz sein alle Stund."

Benno von Wiese schreibt: „Es führt in den ganzen Abgrund der Büchnerschen Tragödie hinein, daß der an seiner Endlichkeit verzweifelnde Mensch sich in seiner Verzweiflung an nichts mehr so eng und gierig zu klammern weiß wie an eben diese Endlichkeit seines irdischen Daseins. Ebenso stand schon Kleists Prinz von Homburg vor seinem offenen Grabe." (S. 541). Sah Büchner noch einen Weg, der aus dem Fatalismus dieses Daseins hinausführte in eine höhere Ordnung? Sah er vom Fels des Atheismus vielleicht doch mit den Augen seiner umfassenden Liebe ein Reich, in dem die Menschen nicht nur Puppen am Draht einer unbekannten Macht sind? Der „Woyzeck" blieb unvollendet, der Tod hat früh ein unwiderrufliches Wort gesprochen. Es besagt uns nicht viel, wenn behauptet wird, Büchner habe auf dem Totenbette zum Christentum zurückgefunden. Wenn das Reich Gottes nicht eine Welt harter Doktrinen und erstarrter Formen, wenn es das Reich der alles umfassenden Liebe ist, so war Büchner ihm auch als Atheist immer nahe.

AUSWAHL DER LITERATUR

Ludwig B ü t t n e r : Georg Büchner, Revolutionär und Pessi-
mist. Verlag Hans Carl, Nürnberg 1948.

Jean D u v i g n a u d : Georg Büchner, L'arche Editeurs, Paris
1954.

A. H. J. K n i g h t : Georg Büchner, Basil Blackwell, Oxford 1951.

S. L u k a c s : Georg Büchner, in „Deutsche Realisten des
19. Jahrhunderts", Berlin 1952.

Hans M a y e r : Georg Büchner und seine Zeit, Limes Verlag
Wiesbaden 1946.

Ingeborg S t r u d t h o f f : Die Rezeption Büchners durch das
deutsche Theater, Colloquium-Verlag, Berlin-Dahlem 1957.

Karl V i e t o r : Georg Büchner, Politik, Dichtung, Wissenschaft,
A. France, Bern 1949.

Benno v o n W i e s e : Die deutsche Tragödie von Lessing bis
Hebbel, Hamburg 1948.

Hans W i n k l e r : Georg Büchners „Woyzeck", L. Bamberg,
Greifswald 1925.

Für den, der weitere Angaben braucht, enthalten die angeführ-
ten Werke teilweise eingehende Literaturangaben. Die benutz-
ten Texte sind in vorliegender Arbeit genannt, hinzu kommt
die ausführlich erläuterte Ausgabe von „Dantons Tod" des Lehr-
mittel-Verlages Offenburg/Mainz.

Banges Unterrichtshilfen

Matthias Übelacker
GUT DEUTSCH

Sprachlehre Grammatik) unter besonderer Berücksichtigung der
Schwierigkeiten beim Dativ und Akkusativ, bei Verhältniswörtern
und Zeitwörtern, Rechtschreiblehre und Zeichensetzung, nebst
einem Verzeichnis von Wörtern, deren Schreibweise besonders
zu merken ist.

Praktisches Lehrbuch durch Selbstunterricht richtig deutsch sprechen und schreiben zu lernen.

Mit vielen Beispielen, Übungen und Lösungen   54. Auflage

Edgar Neis
VERBESSERE DEINEN STIL

Eine Anleitung zu richtiger Wortwahl und Satzgestaltung.

Aus dem Inhalt: **Wortwahl:** Flickwörter — Fremdwörter — Artikel
— Modewörter — Vermeidbare Flickwörter usw.
Satzgestaltung: Der Satz als Mittel der Kommu-
nikation — Der Satz als Mittel der kreativen
Gestaltung u. v. a.

Edgar Neis
INTERPRETATIONEN MOTIVGLEICHER WERKE DER WELTLITERATUR

Band 1: Mythische Gestalten

Alkestis — Antigone — Die Atriden (Elektra/Orest) —
Iphigenie — Medea Phädra

Band 2: Historische Gestalten

Julius Caesar — Coriolan — Der arme Heinrich — Die
Nibelungen — Romeo und Julia — Jeanne d'Arc / Die
Jungfrau von Orleans — Johann Joachim Winckelmann

Dramatische, epische und lyrische Gestaltungen der bekanntesten
Stoffe der Weltliteratur werden mit knappen Inhaltsangaben vor-
gestellt und miteinander verglichen.

Ein unentbehrliches Hilfsmittel für den Deutsch- und Literatur-
unterricht.

BANGES UNTERRICHTSHILFEN

Methoden und Beispiele der Kurzgeschichten-interpretation

Herausgegeben von einem Arbeitskreis der Päd. Akad. Zams

Methoden: Werkimmanente, existentielle, grammatikalische, stilistische, strukturelle, kommunikative, soziologische, geistesgeschichtliche, historisch/biographische/symbolische Methode.

Beispiele: Eisenreich — Cortázar — Dürrenmatt — Brecht — Horvath — Bichsel — Kaschnitz — Lenz — Weißenborn — Rinser — Borchert — Nöstlinger — Wölfel — Langgässer.

An Beispielen ausgewählter Kurzgeschichten werden die einzelnen Methoden der Interpretation demonstriert und erläutert.

Dr. Robert Hippe

Deutsch auf der Neugestalteten Gymnasialen Oberstufe — Reifeprüfungsvorbereitungen

Band 1: Mündliche und schriftliche Kommunikation

Inhalt: Sprache und Verständigung — Diskussion — Protokoll — Inhaltsangabe — Erörterung — Referat- und Redegestaltung u. a.

Band 2: Umgang mit Literatur

Inhalt: Definition von Literatur — Merkmale der Lyrik, Epik und Dramatik, Arten der Interpretation — Was ist Interpretation — Warum Interpretation u. v. a.

Band 3: Sprach- und Textbetrachtung

Definition von Texten — Textsorten — historischer Aspekt / systematischer Aspekt der Textbetrachtung — Textanalysen — Sprachanalysen und -variationen u. v. a.

Band 4: Textanalyse

Fiktionale Texte: Lyrik-Epik-Dramatik-Unterhaltungs- und Trivialliteratur
Nicht-fiktionale Texte: Werbetext-Gesetzestext-Kochrezept-Redetext (rhetorischer Text)

Unentbehrliche Ratgeber und Nachschlagewerke für den Deutschunterricht der Oberstufe. Für Lehrer und Schüler gleichermaßen geeignet. Hilfen für Grund- und Leistungskurse Literatur (Sekundarstufe II) und Deutsch.

BANGES UNTERRICHTSHILFEN

Gerd Eversberg
Wie verfasse ich ein Referat?

Hinweise für die Planung, Erarbeitung und Gestaltung eines Referates (Facharbeit) auf der gymnasialen Oberstufe.
Planung — Materialsammlung und -aufbereitung — Materialbearbeitung — Niederschrift — Vortrag u. a.

Dr. Robert Hippe
Interpretationen zu 62 ausgewählten motivgleichen Gedichten

4. erweiterte Auflage
Deutungsversuche die in Diskussionen und Gesprächen mit Primanern entstanden sind.
Aus dem Inhalt: Themen wie Frühling-Herbst-Abend und Nacht-Brunnen — Liebe — Tod — Dichtung u. v. a.

Dr. Robert Hippe
Interpretationen zu 50 modernen Gedichten

2. Auflage
Interpretationen und Deutungsversuche in unterschiedlicher Dichte und Ausführlichkeit.
Aus dem Inhalt: Lasker-Schüler — Hesse — Carossa — Benn — Britting — Brecht — Eich — Kaschnitz — Huchel — Bachmann — Celan — Grass — Enzensberger — Reinig — Härtling u. v. a.

Dr. Edgar Neis
Wie interpretiere ich Gedichte und Kurzgeschichten?

10. erweiterte Auflage
Ein Grundkurs, die Kunst der Interpretation zu erlernen und zu verstehen. Die tabellarischen Leitlinien führen den Benutzer des Buches zum Verständnis für diese Gattung der Poesie.
Anhand von zahlreichen durchgeführten Interpretationen ein unentbehrliches Hilfsmittel für Lehrer und Schüler

Dr. Robert Hippe
Gliederungsvorschläge und -entwürfe zum deutschen Aufsatz der Oberstufe

I. Facharbeit: Themen aus der Geschichte — Philosophie — Antike Literatur — Deutsche Literatur
II. Besinnungsaufsatz: Die echte Frage — Die rhetorische Frage — Die verdeckte Frage
Die Gliederungen sind ausgearbeitet. Im Anhang vollkommen ausgearbeitete Beispielaufsätze.

ZUR NACHHILFE IN FRANZÖSISCH

Klaus Bahners

**Französischunterricht in der Sekundarstufe II
(Kollegstufe)** Texte — Analysen — Methoden
Hinweise für Lehrer und Schüler der reformierten Oberstufe zur
Interpretation französischer Texte und Abfassungen von Nacherzählungen.

W. Reinhard **Französische Diktatstoffe**

Zur Festigung und Wiederholung von Rechtschreibung und Grammatik. Vorbereitung zur Nacherzählung. Zur Nachhilfe, Kontrolle
und Selbstbeschäftigung.

Unter- und Mittelstufe (1.—4. Unterrichtsjahr)
Oberstufe

W. Reinhard

Übungen zur französischen Herübersetzung
Das Buch richtet sich an den selbständig arbeitenden Schüler, ist
also zur Selbsthilfe geschrieben. Die Lösungen im 2. Teil des
Buches weisen darauf hin.

W. Reinhard

Übungstexte zur französischen Grammatik (9.—13. Klasse)
Bei diesen Texten werden alle Schwierigkeitsgrade berücksichtigt.
An die Texte schließen sich Aufgaben an, deren Lösungen in einem
Anhang mitgegeben werden.

G. Sautermeister

Der sichere Weg zur guten französischen Nacherzählung
Das Werk umfaßt alle wesentlichen Gesichtspunkte, die beim
Schreiben einer guten Nacherzählung berücksichtigt werden müssen.

Paul Kämpchen

Französische Texte zur Vorbereitung auf die Reifeprüfung
Innerhalb der Texte kann der Studierende die Fähigkeit zur schnellen und genauen Aufnahme einer kurzen Erzählung und deren
treffende Wiedergabe reichlich üben.

Möslein/Sickermann-Bernard

Textes d'étude. 25 erzählende Texte französischer Literatur
Die aus der neueren französischen Literatur stammenden Texte
dienen als Vorlagen für Nacherzählungen und Textaufgaben.